美月ヨガ
島本麻衣子

ヨガは私に新しい道を教えてくれました

原因不明の体調不良やイライラに悩まされている女性が多いと聞きます。以前の私もそんな不調に悩まされていたひとりでした。そんな状況から私を救ってくれたのは、ほかでもないヨガです。ヨガを通して、がんばり過ぎている女性の心とからだをゆるめ、癒したい。そんな思いから本書は生まれました。

思い返せば、ヨガをはじめる前は、モデルとして生計を立てるため、ひたすらオーディションを受けては落ちる日々を過ごしていた私。だけどプライドだけは人一倍強く、常にモデルらしくいなければならないと、外では派手な服に身を包み、家では毎日泣いていました。あのころの私は少しうつ状態だったのかもしれません。

そんなどん底の日々が続く中、ヨガに出会いました。母のすすめで気軽にはじめたヨガですが、続けていくうちに思考がクリアになり、前向きになっていく自分に驚きました。そして転機は、29歳で母と出かけた沖縄旅行。それまでアルバイトをしながら、なんとかモデル業を続けていましたが、沖縄の大自然に浄化されたことで、真剣に今後の進路に向き合う気持ちが生まれたのです。

Introduction

そして数ヵ月後、地元に帰省した際に母に伝えた決断は、〝ヨガインストラクターとして生きること〟。そう決めてからは、それまで抱き続けていたネガティブな感情がウソのようになくなっていきました。それはモデルという仕事への執着を手放すことで、ストレスやコンプレックスから解放された瞬間でした。

私に心をゆるめること、受け入れることを教えてくれたヨガ。その力を多くの人に広めたいと思い、「月ヨガ」というオリジナルのヨガを考案して活動中です。本書を手にとってくださった方が、今より健康で美しく、平穏な毎日を送れるように心から願っています。

島本麻衣子's History

有名雑誌を飾るモデルになる！　そんな夢を持って上京した私でしたが、
現実はなかなか厳しいものでした。そんな私が、
ヨガインストラクターになるまでの歴史を簡単にご紹介します。

月ヨガを作るヒントを
くれた大好きな祖母。

History 1 モデルを目指して上京

短大を卒業後、地元の関西でモデルをしていましたが、本格的にモデル業をはじめようと思い21歳で上京。憧れていた東京にきたものの、なかなか仕事に恵まれず、コーヒーショップやセレクトショップの店員など、アルバイトをしながら生計を立てる日々でした。

History 2 コンプレックスとの戦い

モデルの仕事で生計を立てるため、とにかく必死だった25歳のころ。“モデルとはこうでなくっちゃ”という固定観念に縛られて、メイクもばっちり、全身が完璧でなければいけないと力んでいました。すでにヨガをはじめていましたが、まだ趣味程度という感じ。

History 3 ヨガを極めると決心

モデルの仕事への執着心を振り払い、ヨガインストラクターとして生きると決めた29歳。当時所属していた事務所をやめ、周りの環境を変えたことでも自然とふっきれました。週に10本のレッスンを行い、ヨガのクラスを開始。このころからメイクもナチュラルに。

Contents

Chapter 3

月のリズムに合わせた美容術

Chapter 1

月と女性のからだの関係

地球の周りで自転しながら、29日半をかけて満ち欠けを繰り返す月。私たちの先祖は古来より、月のリズムを利用して生活してきました。人の生死もこの月の満ち欠けに大きく関係しているといわれています。そして女性の心とからだも、毎日、形を変えていく月の影響を受け、日々変化しています。月のリズムに合わせて体調を整えれば、もっと楽に自然体で毎日を過ごせるはずです。月の力でからだを癒し、美しさに磨きをかけましょう。

月が人にもたらす影響

Tsuki ga hito ni motarasu eikyo

人は満月の日に生まれ、新月の日に息をひきとることが多いといわれています。実際に産婦人科に確認したところ、満月前後の出産は、ほかと比べて一割程度多いという報告も、一部学者から上がっているそうです。満月や新月は月から受ける引力が強くなり、潮が満ちて大潮になります。からだの70%が水分でできている私たちが、その影響を受けていても不思議ではありませんよね。

また、女性の骨盤周りの筋肉は月の満ち欠けに呼応するかのように、収縮を繰り返しています。満月のときにゆるみ、新月には締まる性質があるのです。だから骨盤周りの筋肉がゆるみ、月の引力も強い満月に出産が多いのではないでしょうか。同じ理由から、満月前後に生理が訪れる人

が多いという傾向にも納得がいきます。このようなことから見ても、月のリズムと女性のからだには大きな関わりがあると考えて間違いはないと思います。

この月のパワーとからだの関係から、本書では月の周期によって大きくふたつの時期にわけました。自然界にゆるむ力が働き、満ちていく月のように吸収力が高まる新月から満月を「アクティブ期」。締まる力が働き、欠けていく月のように排出力が高まる満月から新月までを「デトックス期」としています。それぞれの期間に起こるからだの変化を知ることで、女性特有のイライラ感や心の不調の原因も解明することができるかもしれません。

新月から満月までがアクティブ期

徐々に月が満ちていくアクティブ期。そんな月の姿と同じように、私たちの心とからだもあらゆることを積極的に吸収します。よりよい栄養と情報をとり込んでいきましょう。

心の状態

全てがリセットされた状態でスタートするアクティブ期。新月のすぐ後は、新しいことをはじめるのに最適。満月に近づくにつれ、気分は高揚していきます。

からだの状態

上弦の月から徐々にゆるんできたからだは、満月に最大限にゆるみます。骨盤を支える筋肉もゆるみ、満月に生理を迎えると、からだはとても楽になります。

満月から新月までがデトックス期

新月に向けて、私たちのからだも新しく生まれ変わるための準備に入ります。
精神的にも肉体的にも不必要なものを排出し、ニュートラルな状態に戻していきます。

心の状態

心の緊張から解放され、気持ちは徐々に内側へ向かいます。この時期に身の周りを片づけ、今必要のないものは、感謝の気持ちを持って手放すように。

からだの状態

新月に向けて、解毒力、老廃物を排出する力が高まります。また、下弦の月より骨盤を支える筋肉が締まり、生理周期が整うと、新月に排卵が起こります。

月のリズムに合わせたヨガ

Tsuki no rizumu ni awaseta yoga

Moon Yoga

本来からだは、月の満ち欠けに合わせて自然に変化していくもの。ですが、ストレスなどがかかると、そのリズムは簡単に崩れてしまいます。そのまま月の引力に逆らった生活をすると、心とからだはアンバランスに……。

　その乱れたリズムを正常に整えるのが、月ヨガです。月ヨガは、月の周期に合わせて、心とからだに必要なポーズをとるので、心身をフラットな状態に戻していくことができるのです。続けていくうちに、ホルモンバランスが整えられ、新月に排卵が起こり、満月に生理を迎えられるからだになるでしょう。

Fukai kokyu de jiritsushinkei wo totonoeru

深い呼吸で自律神経を整える

ヨガで月の満ち欠けに合わせて、心身のリズムを整えることができるのは、その呼吸法も大きく影響しています。ヨガで行う深い呼吸は、自律神経のバランスを整えるお手伝いもしてくれるのです。

胸式呼吸には交感神経を優位にし、気分を高揚させる効果があり、腹式呼吸には副交感神経を優位にし、からだをリラックスさせる効果があります。そのときの気分に合わせた呼吸で構いません。どちらの場合も、ネガティブな感情を出しきる気持ちで鼻からゆっくりと息を吐き出し、その後、美しい空気を鼻から思いきり吸い込みます。

costal breathing
胸式呼吸

息を吐くときに胸を縮め、吸い込むときに胸を広げるのが胸式呼吸。交感神経が優位になり、心もからだも活動的になります。息を吸い込むときに横隔膜と一緒にお腹が出ないよう、肋骨に手をおいて行うといいでしょう。

あぐらをかいて、背すじを真っ直ぐ伸ばす。体内にある空気を絞り出すイメージで鼻から吐き出す。肋骨に添えた手で横隔膜の縮みをチェック。

横隔膜の広がりを意識しながら、鼻から空気を吸い込む。このとき腹筋をしっかり締め、横隔膜と一緒にお腹がふくらまないように注意する。

abdominal breathing

腹式呼吸

息を吐くときにお腹をへこませ、息を吸うときにお腹をふくらませるのが腹式呼吸。副交感神経を優位にし、精神の安定や血圧上昇の抑制、リラックス効果があります。仰向けで行うとお腹の動きがわかりやすいでしょう。

ひざを立てて仰向けになって寝転がり、両手はお腹の上に添える。お腹をギューっとへこませながら、体内の空気を鼻から全て吐き出す。

空気をお腹に送り込むイメージで、鼻から吸い込む。両手でお腹のふくらみを意識。背中が動いたり、肩が上下しないよう、腹筋を使って行う。

Naritai jibun ni
awaseta pozu wo

なりたい自分に合わせたポーズを

Moon Yoga

本書では多くの女性が抱える悩みをピックアップし、それぞれの目的別にヨガのポーズを掲載しました。1日1ポーズから行うことができるので、忙しい人や、ヨガ初心者の人も気軽にチャレンジしてみてください。

まずは126ページの月の満ち欠け表で、今日がアクティブ期とデトックス期のどちらにあたるのか確認してみましょう。できれば新月からスタートさせ、ひとつの周期が終わる28日間は続けるのがベスト。2周期目、3周期目と続けるうちに、目に見えて効果が現れます。また満月に生理を迎えるようになったら、心とからだは楽になるでしょう。

本書の使い方

月ヨガを楽しむために、心がけて欲しいことをご紹介します。
その日の体調に合わせて、
無理をしないようにしましょう。

How to use

食後は1～2時間空けてから

食べてすぐのヨガは気分が悪くなる可能性も。食べものがしっかり消化されている方が、ヨガのポーズもとりやすくなります。

目を閉じてポーズをとる

目を閉じることで余計な情報をシャットアウトできるので、ヨガに集中することができます。呼吸も意識しやすくなるでしょう。

生理中は体調をみながら行う

生理中は無理をしないことがいちばん。体調がすぐれないときはお休みを。また、お腹をねじるポーズは刺激が強いので避けましょう。

目的以外のポーズをとってもOK

目的別に掲載されていますが、どのポーズも女性性をアップさせ、ボディラインを整える効果が。その日だけ1ポーズプラスなどもOKです。

column 1

季節に合わせたヨガウエアを楽しむ

ヨガの時間は、環境や身につけるものにもこだわり、
心もからだもリラックスさせたいもの。ウエア選びの際は肌ざわり、動きやすさだけでなく、
その季節に合った素材や色づかいも大切にしています。

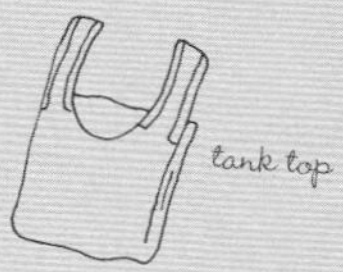

ウエア選びのポイントは、手ざわりがソフトで、かつ伸び縮みして
動きやすいこと。コットンなど自然素材だとなおいいでしょう。
私の場合は、フィット感が強過ぎるものや、反対にからだの
ラインが極端にわからないものは避けるようにしています。
下着はノンワイヤーやカップつきタンクトップを選び、
開放的に動けるように。『H&M』や『ユニクロ』などの
ファストファッションも利用し、季節に合わせて体温調節をしています。
また冷静さが欲しいときは青、自信が欲しいときは黄色など、
その日の気分によって色合いにも変化をつけます。

summer
夏

見た目から
涼しげなスタイルに

トップスはノースリーブ、ボトムはハーフパンツやショートパンツが夏の定番です。一緒にヨガをしている人にも涼しく感じて欲しいので、清涼感あるブルーなどを選びます。

spring
春

白やペールカラーで
吸収力を高める

春ははじまりの季節。気分を一新させるため、ヨガスタイルも白をベースとしたペールトーンで爽やかにコーディネートをします。新月の吸収力も高まるような気がします。

winter
冬

とり外せる
小ものをプラス！

タートルにネックウォーマーを重ねて完全防寒！　レッグウォーマーなどの小ものは、からだが温まったら外せて便利。ヨガ用でなくても普段使っているものでOKです。

autumn
秋

トップス２枚重ねで
体温調節を

天気が変動しやすい秋は、ウエアを２枚重ねにして体温調節を。冷え込む日は、トップスを長めにして、腰を温めるといいでしょう。色合いも徐々に暖色にシフトしていきます。

Chapter 2

なりたい自分別月ヨガ

月の満ち欠けに沿って、心とからだに必要なポーズをとる月ヨガ。Chapter 2では、女性がなりたいと願う項目別に、アクティブ期とデトックス期にとりたいポーズをご紹介します。目標がひとつに絞れているのであれば、1日1ポーズでOK。たくさんある場合は、いくつ行っても構いません。また、アクティブ期、デトックス期、共通のウォーミングアップで、心身を整えてからヨガのポーズに入ると、さらに効果が高まります。

moon yoga 1

代謝アップ

毎日動かずじっとしている女性に多い、冷え症やむくみ体質。筋肉量が減り、代謝が下がっていることが原因のひとつです。放っておくとぽっこりお腹や体重増加だけでなく、疲れがとれにくくなり、やる気が起きなくなることも。外見の美しさだけでなく、心にも影響を及ぼしかねません。

　呼吸を意識しながら深部の筋肉を動かすヨガのポーズは、短時間で効率的に体幹を鍛えることができます。体幹には血液循環を維持する筋肉があるため、鍛えることで血流がよくなり代謝がアップ。太りにくく、冷え知らずになれるのです。月ヨガで芯から、からだを温めていきましょう。

こんな悩みを持つ人に

- むくみ
- 冷え性

こんな効果もある

- 美しい姿勢になる
- バランス感覚アップ
- ダイエット

warm-up
ウォーミングアップ

からだを温める

腹筋や背筋などからだの大部分を占める筋肉をリズミカルに動かし、体温をアップさせましょう。また筋肉や関節の緊張がとれるので、血液やリンパがスムーズに流れるようになります。

1
仰向けで太ももをひき寄せる

仰向けに寝転がった状態から両手を太ももの後ろにまわし、両ひざを胸にひき寄せる。

2
背中を丸めてゴロンと起き上がる

脚の反動と腹筋を使って上半身を勢いよく持ち上げ、背中を起こす。

3
リズミカルにゴロンと倒れる

背中を丸めて、後ろに倒れる。2、3をリズミカルに3回繰り返し行う。

代謝アップ

active phase

アクティブ期

船のポーズ

アクティブ期におすすめなのが、体幹を強化する船のポーズ。
深部の筋肉群が鍛えられると代謝が上がるだけでなく、
自然と美しい姿勢になるのもポイントです。船のポーズで
からだの芯から美しい女性を目指して。

1

ひざを立てて座り、ひもを足裏に通す

背すじを伸ばして体育座り。両足の裏にひもを通し、ひもの両端を持つ。

2

ひじとひざを伸ばし、腹筋でバランスをとる

息を吐きながら、手でひもをひっぱってひじとひざを真っ直ぐ伸ばす。胸を広げて肩甲骨を下ろし、3呼吸。

これでもOK!

ひざを伸ばすのが難しい人は、ひざ下と床が平行になるように伸ばすだけでもOK。ひもを長めに持つとより簡単。

代謝アップ

detox phase

デトックス期

ハッピーベイビーのポーズ

心とからだをゆるめていきたいデトックス期は、
赤ちゃんのようなポーズで心身ともにリラックス。
下半身と胴体をつなぐ大きなポンプの役割を果たす股関節を
動かすことで、滞っていたリンパの流れもスムーズに。

1

ひざを立てて仰向けになる

両ひざを立てて仰向けに寝転がる。手のひらは床につけてリラックス。

2

足の親指に手の指を挟み込む

あぐらをかくようなイメージで、両ひざを外側に広げていく。足の親指に人差し指、中指をひっかける。

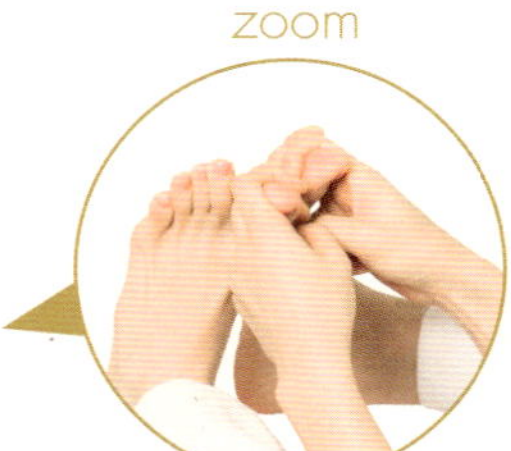

3
脚をできるだけ大きく開く

息を吐きながら、両脚を大きく開く。肩の力をぬいてお尻を大地に下ろし、3呼吸。

これでもOK!

股関節がかたく脚が真っ直ぐ伸びない人は、ひざを曲げたままでもOK。無理をし過ぎず、気持ちいい伸びを感じるところでストップ。

moon yoga 2

腸美人

便秘や下痢、お腹のはりといった不調は、腸内の悪玉菌が主な原因に挙げられていますが、実は〝腸の冷え〟も大きく関係しています。ダイエットによる栄養不足や、運動不足、ストレスなどがあると、腸が冷え、動きが鈍くなってしまうのです。

まずは、規則正しい生活とバランスのいい食事を心がけることが最優先。さらにひねりをとり入れたヨガのポーズで、心身ともにリラックスしながら、腸を優しく刺激し、温めてあげましょう。また、水分不足によって便が出にくくなることも。便秘の人は腸内が乾燥しないよう、白湯でしっかり水分補給していきます。

こんな悩みを持つ人に

- 便秘
- 下しやすい
- お腹がはりやすい

こんな効果もある

- 美肌
- ダイエット
- くびれができる

warm-up
ウォーミングアップ

お腹を温め、マッサージする

冷えなどが原因で鈍くなった腸の動きは、内側と外側から刺激してあげましょう。ただ、下痢をしているときはマッサージはお休み。寝転んでリラックスするようにして。

1 白湯を飲む

1杯の白湯で、内側から腸を温める。体温と同じくらいか、自分の飲みやすい温度でOK。

2 お腹をさする

重ねた両手をおへその上におき、おへそを中心に円を描く。便座に座るか、仰向けで行う。

3 おへその周りを押す

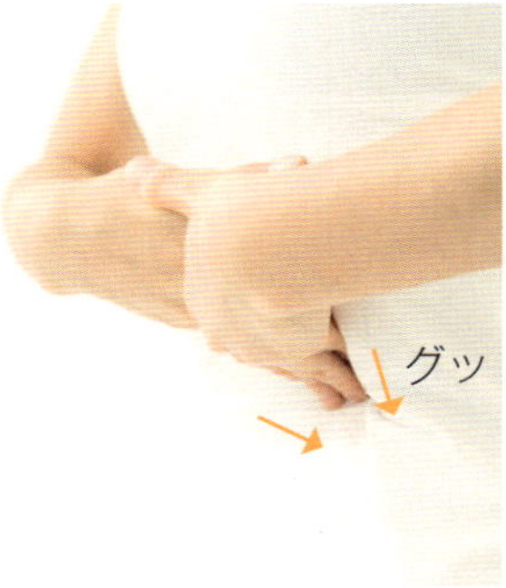

指先でおへその周りを優しくプッシュ。押したときに、内臓がゴロっと動く程度の強さで。

4 ウエストを絞る

くびれ部分に手をおく。上から下へ押し出すイメージで、親指以外の指を蛇腹のように動かす。

腸美人

active phase

アクティブ期

ねじりのポーズ

左右にウエストを大きくツイストさせることで、腸内をしっかり刺激できるポーズ。普段、使うことが少ない肩甲骨から腰にかけてのサイドの筋肉を動かすので、ウエストがくびれてラインが美しくなるメリットも。

1
姿勢を正して正座

背すじを伸ばして正座。目線は正面、手は自然に下ろす。

2
正座をくずす

両脚を左側にずらす。左脚はお尻の横、右脚はお尻の下にくるように。

3
左脚を動かし
右ひざの横に

左脚を持ち上げ、かかとを右ひざの横に移動させる。

4
右手を天に
向かってひき上げる

息を吸って、ひじは曲げずに指先で半円を描くイメージで、右手を真っ直ぐ上に伸ばす。

5
息を吐きながら
左にツイスト

胸の前で合掌。吐く息で、上体を腰から左にねじり、背すじを伸ばしたまま、３呼吸。脚を入れ替え、反対側も同様に行う。

腸美人

detox phase

デトックス期

寝転んだねじりのポーズ

デトックス期にはねじるポーズも、クッションやボルスター（ヨガ用抱き枕）を使い、リラックスしながら行いましょう。無理にねじろうとするのではなく、自分の体重を利用してゆっくりと行うのがポイントです。

1 息を吐きながら、右ひざを胸にひき寄せる

抱き枕（折りたたんだクッションや枕でも可）を左側におき、仰向けに寝転がる。息を吐きながら右ひざを胸までひき寄せ、両手で抱え込む。

2 腰から下をねじり、右ひざを抱き枕にのせる

息を吐きながら、右ひざを抱き枕にのせる。左手で右ひざを押さえ、右手は床に。頭は右を向ける。

3 肩甲骨をほぐすように、右腕を回す

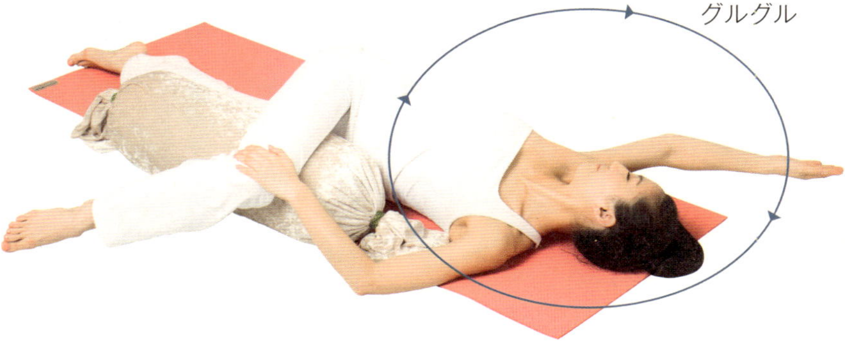

右腕をつけ根から時計回りに3回、反時計回りに3回大きく回す。脚を入れ替え、反対側も同様に行う。

moon yoga 3

アンチエイジング

まず伝えたいことは、人は老いても美しさは損なわれないということ。歳をとることにネガティブな感情を抱く必要はありません。シミは今まで太陽を浴びながら健康的に生きてきた証拠だし、シワは喜怒哀楽を表現しながら豊かに生活した証。それらを誇りに思い、今現在の自分を愛しましょう。

その上で、顔周りの筋肉にアプローチする、ヨガのポーズをとり入れ、根本からエイジングケアをしていきます。日々生まれ変わっている60兆個の細胞。ヨガの深い呼吸で一つひとつの細胞にまで、酸素がしっかりいき渡ることを実感してください。

こんな悩みを持つ人に

- たるみ
- しわ
- くすみ

こんな効果もある

- 小顔
- 口臭予防
- 顔周りの老廃物を流す

顔にふれて温める

ヨガを行う前に顔を温めると、硬直していた筋肉がやわらかくなり、ポーズがとりやすくなります。リラックス効果もあるので、仕事中などデスクで行うのもおすすめです。

1 両手を温める

手のひらがじんわりと温かくなるまで、両手のひらを上下に優しく擦り合わせる。

2 両手でまぶたを包む

手のひらをふわっと丸め、まぶたには直接ふれないように、両目を温める。

3 顔全体を温める

呼吸を感じながら、筋肉をジワジワとゆるめるように、顔全体を両手で温める。

アンチ
エイジング

active phase
アクティブ期

獅子のポーズ

57ある表情筋のうち、日常生活で使っているのはたった30%ほど。獅子のポーズで、目元と口元を逆方向に動かし、顔の筋肉をまんべんなく刺激しましょう。たるみ予防にもなるほか、舌を出すことで、耳下からあごにかけてのリンパ節も刺激します。

1
正座をして上体を前に倒す

正座の状態から、手をひざの前におき、上体を前に倒す。猫背にならないよう目線は正面を意識。

2

つま先を立てて、お尻を持ち上げる

つま先立ちのような体勢でお尻を持ち上げ、上体をさらに前に倒す。目線は正面のまま。

3

舌を思いきり出し、目線は上に向ける

息を吐きながら、目を見開き、目線はできるだけ上に、舌は根元から思いきり下に出す。息を吸いながら元に戻し、これを3回繰り返す。

アンチ
エイジング

detox phase

デトックス期

魚のポーズ

首や鎖骨周りは無数のリンパ節が集まる場所。左鎖骨には、全身をめぐったリンパ液が流れ込み、老廃物を体外に出すためのリンパ節もあります。顔周りのリンパの流れを促す魚のポーズを行い、排出力を高めましょう。

1 仰向けに寝転がる

仰向けに寝転がり、両腕はからだの側面に。背中とお尻の筋肉を意識しながら息を吐く。

2 上体を浮かせ、頭頂部を床につける

息を吸いながらひじで床を押し、上体を持ち上げる。頭頂部が床につくまで頭をスライドさせ、首すじを伸ばし、胸を広げて、3呼吸。

月ヨガの“知” 脳からアンチエイジング

頭頂部にあるツボを刺激することで、脳に接している下垂体《かすいたい》と脳内の松果腺《しょうかせん》に働きかけます。下垂体は内分泌腺から出るホルモンのバランスを整え、松果腺ではメラトニンが作られているので睡眠の調整もしてくれます。

moon yoga 4

美脚

美脚を目指すのなら、自分の姿勢をまず見直して。背骨や骨盤に歪みがあると、脚に大きな負担がかかります。無理に下半身でバランスをとろうとするので、ひざが曲がったり、がに股になったりと、歩き姿にも影響が。その状態では、筋肉が正しく使えないので、筋力も低下してしまいます。

また、O脚やX脚は、筋肉で骨格を支えられなくなるのが原因のひとつだと考えられています。そして骨格の歪みや筋力の低下は、リンパの流れを停滞させ、むくみをひき起こす原因にも。姿勢を正すヨガで深層筋を鍛え、からだの歪みを整えれば、みるみるうちに美脚になれることでしょう。

こんな悩みを持つ人に

・O脚
・X脚
・脚が太い
・脚のむくみ

こんな効果もある

・骨盤矯正
・骨盤底筋を鍛える

warm-up
ウォーミングアップ

しっかりとした土台を作る

足はからだの土台。そしてそれを支えているのは足指です。
正しい姿勢で真っ直ぐ立つためには、木の根のように広がる
足指が必要。丁寧にマッサージし、血行を促進させましょう。

1 指をつまんでほぐす

足の指１本１本をつまんで前後にひっぱり、まんべんなくほぐす。

2 足首をグルグル回す

手の指を足の指の間に入れ、時計回り、反時計回りに足首をグルグル回す。

3 足指をグーッと反らせる

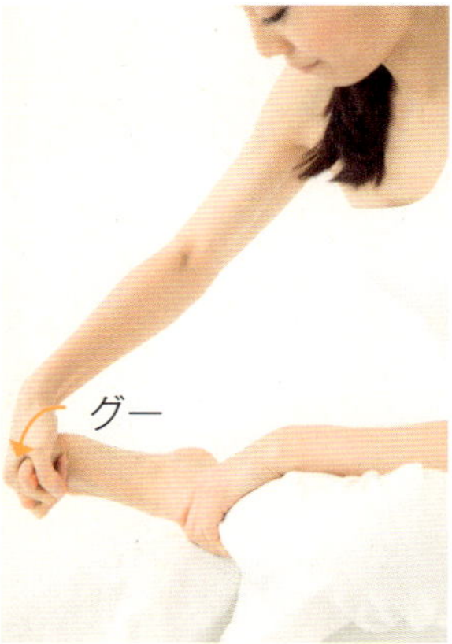

手指を足指の間に入れたまま、足の指先を気持ちのいいところまで反らせる。

美脚

active phase
アクティブ期

山のポーズ

山のポーズは、ヨガにおける基本の立ち姿勢です。ただ立っているだけに見えて、深い呼吸と全身の筋肉を必要とするので、かなりハードなポーズといえるでしょう。続けるうちに、脚はもちろん、ボディライン全体に変化が現れます。

ワンステップ

足の親指を揃え 真っ直ぐ立つ

足の親指を揃え、重心を内側にかける。吐く息で肩の力をぬいて、腕をストンと下ろす。息を吸いながら背すじを伸ばし、3呼吸。

横から見ると……

肋骨

肋骨を前に突き出すような感覚で胸を大きく開く。

肩

肩は耳の真下にくるように。肩甲骨は少しひき寄せる。

足の親指

かかとと内くるぶしはピッタリとくっつけ、両足の親指の位置を揃える。

お尻

内太ももからぐっとひき上げるようにお尻を締める。

足裏

足の裏でしっかりと大地を踏みしめるイメージ。親指のつけ根、小指のつけ根、かかとの左右、この4点を意識する。

美脚

detox phase
デトックス期

仰向けで脚を上げるポーズ

デトックス期には、からだをゆるめ、解放するポーズをとります。下半身のリンパと血液の流れをよくし、むくみ解消につながるほか、骨盤の調整にも最適。ひもはタオルやベルト、手ぬぐいなど、身近なもので代用してみて。

1
右ひざを立てて寝転がる

右ひざを立てて仰向けに寝転がり、深呼吸をする。

2
足の裏にひもをかける

右ひざを胸にひき寄せ、足裏の土踏まずあたりにひもをひっかける。

3
足裏を天井と平行にする

息を吐きながらひもをひっぱり、脚を上げる。反対のお尻が浮かないようにして、3呼吸。脚を入れ替え、反対側も同様に行う。

これでもOK!

脚を真っ直ぐ伸ばすのが難しい場合は、ひざを少し曲げてもOK。足裏は天井と平行に。

moon yoga 5

バストアップ

バストに悩みがある人は、まずは猫背になっていないかチェックしてみましょう。背すじを伸ばして胸をはるだけで、ツンと上向きの美しいバストが演出できます。また、恋愛や愛の営みなど、潤いのある時間を楽しむことも忘れずに。胸の弾力や手ざわりが大きく変わるはずです。

ヨガでは胸筋を鍛えるポーズで、バストアップを目指します。垂れてしまったバストは筋肉で持ち上げましょう。さらにリンパの流れをよくし、胸の成長を高めるポーズをとり入れます。ヨガにはバストアップに欠かせない、女性ホルモンのバランスを整える効果があるともいわれています。

こんな悩みを持つ人に

・バストの形が悪い
・バストが垂れている
・バストが小さい
・バストがかたい

こんな効果もある

・猫背改善
・肩こり改善
・自律神経が整う

warm-up

ウォーミングアップ

鎖骨周りをほぐし、リンパを流す

バストの成長を促すためには、鎖骨周りに密集しているリンパ節をほぐし、流れをスムーズにすることが大切。バストのこりがほぐれ、しっかりとした土台が作られます。

1 鎖骨をマッサージする

肩を少し内側に入れ、鎖骨を指先で掴む。内側から外側へとマッサージする。

2 鎖骨を掴んだまま肩を回す

鎖骨を掴んだまま、肩を大きく回す。ひじで円を描くようなイメージで。

3 手を鎖骨からバストにはらう

息を吐きながら、鎖骨においた手をバストに向けて優しくはらい下ろす。

バストアップ

active phase

アクティブ期

胸を開くポーズ

胸筋をほぐしながら、甲状腺と顔周りのリンパ節を刺激するポーズ。甲状腺ホルモンが分泌されるので、自律神経の調整や代謝アップにも効果が。さらに肩や首のこりも解消され、美しい姿勢がとりやすくなります。

1

あぐらをかき背すじを伸ばす

あぐらをかき、吐く息で背すじを伸ばす。両手はひざの上にのせる。

2

指先を内側に向けて両手を床につける

手のひらをお尻の少し後ろにおき、重心をかける。このとき手首を伸ばし、指先はからだの方に向けるのがポイント。

3

上体を反らし、胸を広げる

息を吐きながらゆっくりからだを反らして胸を広げる。あごを上げ、首すじも同時に伸ばし、このまま3呼吸。

バストアップ

detox phase
デトックス期

牛の顔のポーズ

わきの下のリンパ節を刺激し、胸の成長の妨げとなる老廃物をしっかりデトックスしてくれる牛の顔のポーズ。胸筋と肩甲骨周りの筋肉が鍛えられるので、バストアップの大敵である、猫背の改善にもつながります。

1
背すじを伸ばし正座をする

正座をして背すじを伸ばす。肩を下ろし、腕はリラックス。

2
両脚を左側にずらす

少しお尻を浮かせて両脚を左側にずらし、正座をくずす。

3
左脚を動かしひざをクロス

左脚を持ち上げ、両ひざが重なるよう脚をクロスさせる。両手は足の裏にのせる。

4
右手を真っ直ぐ上げる

息を吸いながら腕を上げ、体側と背中を伸ばす。

5
背中で指先を組み合わせる

上げた右腕のひじを曲げ、背中側に倒す。右の指先を下から左の指先でにぎる。脚を入れ替え、反対側も同様に行う。

後ろから見ると……

コの字になった両手の指先がしっかりとひっかかった状態。

これでもOK!

からだがかたいと指先がつかないことも。ロープやタオルなどで届かない距離を補って。

moon yoga 6

女性らしいからだ

あなたが思い描く〝女性らしいからだ〟とはどのようなものですか？ まずは理想の女性像をイメージしてください。痩せているけれど、過激な食事制限でいつもイライラしているような女性を目指している人はいないはずですよね。なりたい女性像を明確にしたら、思いきり楽しみながら、理想のからだに近づく努力をしましょう。

ヨガでは骨盤底筋を鍛え、女性ホルモンの分泌が促されるポーズをおすすめします。代謝が上がり、ベストな体型になるのはもちろん、バストやヒップのふくらみが強調され、メリハリのあるしなやかなボディラインになれるというわけです。

こんな悩みを持つ人に

- ボディラインにメリハリがない
- 痩せにくい

こんな効果もある

- 自律神経が整う
- 骨盤底筋を鍛える
- ホルモンバランスが整う
- ストレス解消

warm-up
ウォーミングアップ

ヨガのポーズをとる前に心の準備を。まずは理想のからだをイメージしましょう。また、女性らしい花の香りのアロマで気持ちを盛り上げるとヨガの効果もアップします。

目標のボディラインをイメージトレーニングする

目標とする女性の写真を見つけましょう。ヨガの前のイメージトレーニングとして見るだけでなく、いつも目に入る場所におくようにします。もちろんベストな体型の自分自身の写真でもOK。目標を立てるのにぴったりの新月には、なりたい自分の姿を改めて強く思い描くことも忘れずに。

華やぐ香りをまとう

華やぐ香りを身につけることで、女性ホルモンを刺激することができます。おすすめは、ジャスミンやローズ、イランイランなどの女性らしいフローラル系。エッセンシャルオイルを手にとり、人肌に温めてから、頭から下へと手を動かしてからだに香りをまとわせましょう。もちろん生花でもOK。

女性らしい
からだ

active phase
アクティブ期

猫牛のポーズ

骨盤底筋と胸筋、お腹、お尻、太ももの内側と、女性が気になるパーツを同時に鍛えてしなやかなボディラインを作るポーズ。背骨や甲状腺を伸ばすため、自律神経の安定やリンパの流れをスムーズにする効果も。

1
四つん這いになる

手は肩の真下、ひざは骨盤の真下にくるよう四つん這いに。手の指は大地を掴むように自然に広げる。

2
上体を反らす

息を吸いながら頭を起こし、上体を反らす。胸を広げ、首すじをしっかり伸ばす。

3
おへそをのぞき込む

息を吐きながら弓なりに背中を持ち上げ、目線はおへそに。お腹とお尻に力を入れる。2に戻り、呼吸に合わせてこれを3回繰り返す。

花輪のポーズ

女性の悩みが集中しやすい下半身を鍛え、安定した足元を作る花輪のポーズ。骨盤の底を覆い子宮などの器官を支えている、骨盤底筋をひき締めるので、女性らしさがアップする上、ぽっこりお腹の解消にもなります。

1

脚を開いて腰を落とす

脚を肩幅に開き、お尻が床につかないように腰を落とす。ひざの内側にひじを入れ、胸の少し上で合掌。

これでも OK!

屈む体勢がきつい人は、クッションの上にかかとをのせて行ってもOK。

2

手を下ろし
ひざを押し広げる

息を吐きながら手を下ろし、ひじでひざを押し広げる。お尻はギュッと締め上げて、背すじを伸ばす。

3

手とお尻を
ゆるめる

息を吸いながらお尻と手をゆるめる。2に戻り、呼吸に合わせてこれを3回繰り返す。

moon yoga 7

気持ちの安定

真面目な人ほど、気持ちが不安定になってしまうもの。優し過ぎる性格や、失敗を許せない強い責任感など、長所の裏返しともいえます。考え込むのはほどほどにして、まずは深呼吸をしてリラックス。情緒不安定になっている自分を許し、愛してあげましょう。

ヨガに欠かせない呼吸は、気持ちの安定に深く関わっています。ゆっくり深く呼吸すると、体内の酸素量が増加し、脳が刺激されます。これにより、交感神経優位の状態から副交感神経優位の状態にきり替わってリラックスできるというわけです。はりつめた心とからだをゆるめていきましょう。

こんな悩みを持つ人に

- イライラする
- 情緒不安定
- クヨクヨしやすい

こんな効果もある

- 自律神経が整う
- リラックス効果
- 腰痛改善

warm-up

ウォーミングアップ

ネガティブな感情から自分自身を解放し、毎日一生懸命生きられていることに感謝の気持ちを。心とからだをときほぐし、深呼吸で隅々まで酸素を送り込んで、細胞を活性化させていきます。

空を見上げて深呼吸する

空を見上げ、その偉大さを感じながら大きく深呼吸。吐く息で自分の中にあるネガティブな気持ちを吐き出すイメージで行います。新しい気持ちで1日がはじめられるように、朝に行うのがベスト。朝日を浴びることで、セロトニンという心を落ち着かせる神経伝達物質も分泌されます。

大きく伸びをする

ヨガのポーズをとる前に、大きく伸びをして、こりかたまった全身を解放。両手の指をからめ、真っ直ぐ空へ向かって伸ばします。息を吐きながら、胸を大きく広げるようにして、手を下ろしていきましょう。縮こまったからだをゆるめてあげることで、気持ちもポジティブな方向へと向かいます。

気持ちの安定

active phase

アクティブ期

子どものポーズ

はりつめた心をゆるめ、幼少期に戻ったかのようなほっとした気持ちになれるのが、子どものポーズ。日々のストレスから心もからだも開放し、なごませてあげましょう。腹式呼吸を自分のペースで行っていくといいでしょう。

1

抱き枕を挟んで正座

抱き枕（折りたたんだクッションや枕でも可）を両ひざの間に挟んで正座をする。

2

抱き枕を抱え込む

上半身を倒し、抱き枕を抱え込む。リラックスできるまで、顔の左右を交替させながら、ゆっくり腹式呼吸。

月ヨガの“知” 心もからだもリラックス

お母さんの胎内にいるときと同じような体勢になる子どものポーズは、抱き枕なしでもリラックス効果を得ることが可能。疲労回復にもなるので、ハードなポーズとポーズの間に、休憩として、とり入れるのもおすすめです。

気持ちの安定

detox phase

デトックス期

ゆりかごのポーズ

前後左右に転がることで全身のバランスを整えながら、背骨をマッサージしていきます。この動きには、背骨の内外に通った自律神経の働きを整える効果が。胎内にいたときと同じポーズで、心身ともにリラックスしていきましょう。

1

ひざの裏で手を組み体育座り

体育座りをし、両手はひざの裏で組む。

2

からだを前後に転がす

脚に反動をつけ、からだを丸めながら後ろに倒す。反動を利用し、息を吐きながら起こす。これを3回繰り返す。

3

体育座りから
左に転がる

体育座りをし、両手でひざを抱えて丸くなる。体重を利用して左に倒れる。

4

左に倒れた状態から
右に転がる

勢いをつけて右に転がり、また同じように左に転がる。背中、お尻、肩が心地よくマッサージされるのを感じながら行うのがポイント。

moon yoga 8

脳の呼吸

緊張状態が長く続いたり、過度なストレスがかかると、呼吸が浅くなり、脳に酸素がいき渡らなくなってしまいます。集中力の欠如やイライラ、片頭痛などをひき起こす頭のこりは、この脳の酸素不足が原因のひとつだと考えられます。

ヨガの深い呼吸で、脳までしっかり酸素を送り込みましょう。深い呼吸によって、セロトニンが分泌され、集中力が高まります。また、緊張していた頭や首、肩の筋肉をゆるめ、リラックスさせることも大切。からだがゆるむことで、血流がよくなり、疲れがたまりにくくなるメリットもあります。

こんな悩みを持つ人に

- 目の疲れからくる頭痛
- 集中力がない
- 疲れやすい
- 頭のこり

こんな効果もある

- 肩こり改善
- リラックス

warm-up ウォーミングアップ

頭皮をやわらかくする

頭蓋骨は薄い筋肉に覆われています。この筋肉がこると、頭蓋骨を圧迫して頭痛をひき起こすことも。まずは頭のこりの解消からはじめましょう。顔のたるみ予防にも効果的です。

1 地肌をマッサージする

髪の生え際から指を入れ、手グシの要領で指を頭頂部に向かって滑らせる。

2 髪を掴みひっぱる

髪を手で掴み、軽くひっぱり上げる。腹式呼吸でリラックスしながら行う。

脳の呼吸

active phase
アクティブ期

ワシのポーズ

頭へとつながる腕から肩、首、肩甲骨周りの筋肉の緊張をほぐすポーズです。一見複雑そうなポーズですが、両手とも親指が常に顔側に向いているということを頭に入れておけば案外簡単。手と肩に力を入れずに行いましょう。

1

あぐらをかき ひじを曲げる

あぐらをかき、ひじを胸の高さで直角に曲げる。両手のひらは内側に。

zoom

2

胸の前で両ひじをクロス

両手とも親指が顔側にきている状態をキープしながら、両手の甲を合わせるイメージで、両ひじをクロスさせる。

3 ひじをクロスしたまま合掌

息を吐き手のひらを合わせる。そのままの手の形で、息を吸って背すじを伸ばす。

4 ひじを支点にして前に倒す

息を吐きながら、手をゆっくりと前に倒し、肩甲骨が左右に広がるのを感じながら、3呼吸。手を入れ替え、反対側も同様に行う。

脳の呼吸

detox phase

デトックス期

ウサギのポーズ

デトックス期には、自分の体重を利用して頭頂部のマッサージができるウサギのポーズでリラックスしていきます。後頭部から首をしっかり伸ばすのがポイント。眠気をとりたいときや、目が疲れたときに行うのもいいでしょう。

1 正座し背すじを伸ばす

正座をし、吐く息で背すじを伸ばす。手は自然に下ろす。

2 頭頂部を床につけツボ刺激

息を吸いながらお尻を持ち上げ、頭頂部を床に。頭を前後左右にゆっくり動かし頭のツボを刺激。じわっとゆるんでいく頭や背骨を感じながら行う。

月ヨガの"知" 第7のチャクラを刺激

会陰部からはじまり、人間のからだに7つあるといわれるチャクラ。頭にある第7のチャクラ「サハスラーラ」を刺激することで、せき止められていたエネルギーの流れを促します。考え過ぎて思考が停止しているときにもおすすめです。

moon yoga 9

安眠

眠りの質の低下は、体内のサーカディアンリズム（概日リズム）が崩れていることが原因のひとつ。12時までには寝て、毎朝同じ時間に起きることが理想です。ただそれを習慣化するのはなかなか難しいもの。

自律神経を整えるヨガで、体内リズムを正常に戻していきましょう。アクティブ期には高ぶった神経を落ち着かせてくれるポーズをとってバランスを調整。デトックス期には全身の筋肉をストレスから解放して、からだをゆるめていきます。また枕元のものを極力減らし、寝る前は瞑想など、落ち着いた環境と時間を作ることも大切です。

こんな悩みを持つ人に

- 不眠
- 眠りが浅い
- 寝つきが悪い

こんな効果もある

- 体内リズムが整う
- 肩こり改善
- アンチエイジング

warm-up

ウォーミングアップ

ベッドに入るまでの時間は眠りの質を左右する大切なとき。
心地よい眠りに導くために、夜は部屋の明かりを消して
キャンドルで過ごすなど、リラックスする時間を作りましょう。

リラックスタイムを作る

まずは部屋のライトを消し、キャンドルを灯しただけの部屋であぐらをかきます。親指と人差し指の先を合わせて、そっとひざの上に。そのままの姿勢で何も考えず、しばらくゆっくりと時間を過ごします。キャンドルの明かりのままヨガのポーズに入るのもおすすめです。

おすすめアイテム

リラックスタイムに愛用しているアイテムをご紹介します。視覚、聴覚に訴え、心身ともにリラックスに導いてくれます。自分が心から気持ちがいいと感じるものを選ぶのがポイントです。

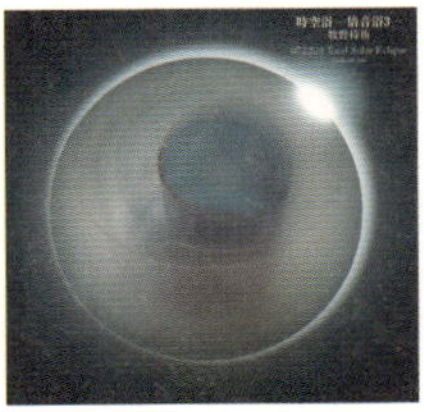

クリスタルボウルの CD

クリスタルボウルの音色は、月の音と同じだといわれています。SHM-CD『時空浴〜倍音浴3〜 / 牧野持侑』¥2800 ／ピンポイント

キャンドルとキャンドルホルダー

キャンドルの光が星と月型になって瞬くキャンドルホルダーは生徒さんからのプレゼント。キャンドルは、蜜蝋でできたナチュラルなものがおすすめです。

安眠

active phase
アクティブ期

逆転のポーズ

背中を伸ばし、脊椎と頸椎を刺激するポーズ。自律神経を整えるとともに、からだをゆるめてリラックスモードへと導いてくれます。寝転がったとき、頭頂部がイスの前脚のラインにくるように、はじめに座る位置を調整しましょう。

1

体育座りをして ひと呼吸

背すじを伸ばし、体育座りをし、深くひと呼吸。

2

からだを倒す

ひざは胸の方に寄せたまま、からだを倒して背中、腕、手のひらを床につける。

頭頂部はイスの前脚の間

3

反動はつけずに
脚をイスに

手のひらで床を押しながら、
腹筋を使って腰を持ち上げ、
脚をイスにのせる。3呼吸し、
ゆっくり脚を下ろす。

手のひらで床を押す

アレンジに挑戦

手を組んだ状態で、脚をイスにのせる。こうすることで、より胸が大きく開き、呼吸が深くなるのがポイント。

手を組む

安眠

detox phase

デトックス期

イスに足を上げるポーズ

背中を伸ばすことで、全身の筋肉をストレスから解放してくれるポーズです。足にたまったリンパ液や血液をからだに戻す効果があるので、寝る前に行うとむくみ予防にも。イスの代わりに壁を利用して行ってもいいでしょう。

1

イスの前で体育座り

クッションに腰を下ろして体育座り。足はイスの下に入れる。

2

上体を後ろに倒す

仰向けに倒れ、手は自然に広げて床に。クッションで骨盤を少し後倒させるのがポイント。

3

イスの背もたれに足をのせる

両足を背もたれにのせ、脚を真っ直ぐ伸ばす。手のひらを天井に向け、ゆっくり3呼吸。

moon yoga 10

美しい生理

ホルモンバランスが安定すると満月に生理を迎えます。それが月ヨガの根本的な考え方。月が満ちていくと自然界にはゆるむ力が働くので、このタイミングで生理がくると、からだと心がとても楽になるはずです。

ただ、精神的に不安定だったり、ストレスがかかると、ホルモンバランスは簡単に崩れてしまうもの。生理痛だけでなく、生理前のイライラや落ち込みなど、精神的な不調をもひき起こしてしまいます。女性ホルモンの分泌を促すポーズをとり入れ、新月に排卵が起こり、満月に生理を迎えるという、自然のリズムに沿った生理周期に整えていきましょう。

こんな悩みを持つ人に

- 生理不順
- PMS（月経前症候群）
- 生理痛

こんな効果もある

- 気持ちの安定
- ストレス解消
- 呼吸を深める

warm-up

ウォーミングアップ

お灸でからだを温める

からだの冷えはダイレクトに生理周期や生理痛に影響を及ぼします。お灸の温熱効果でツボを刺激して症状緩和を。仕事中などでも使える " 火を使わない " お灸が便利です。

1 首すじを温める

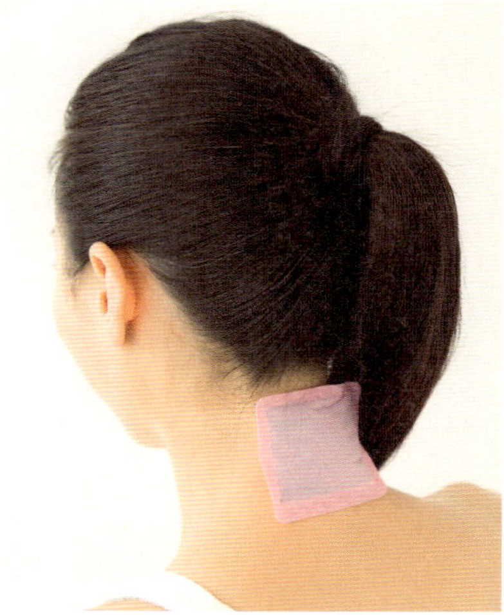

女性の冷えの原因の 80%は、自律神経の乱れが関係しているといわれています。自律神経が密集し、全身の血流をよくするツボもある首を温めることで、生理痛と冷えの緩和につながります。

2 子宮を温める

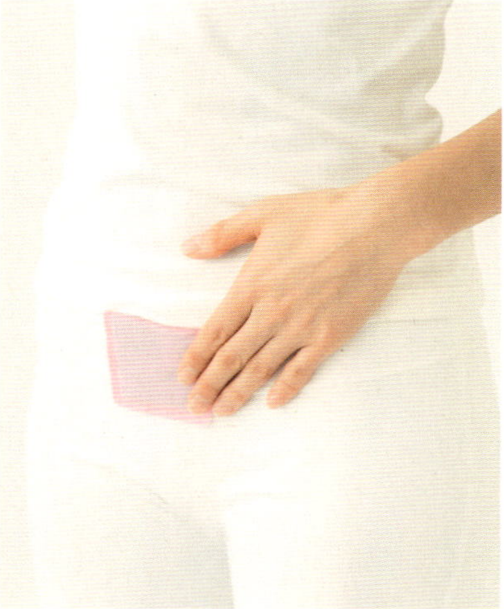

生理痛がひどいときは、子宮を直接温めるようなイメージで、おへそから指４本くらい下の場所に、お灸をすえましょう。関元《かんげん》と呼ばれるツボで、冷え症、生理痛に効果があります。

おすすめアイテム

おだやかな温熱でツボを刺激するとともに、よもぎの有効成分がからだの調子を整えてくれるお灸。ポカポカ温かい生理を過ごしましょう。

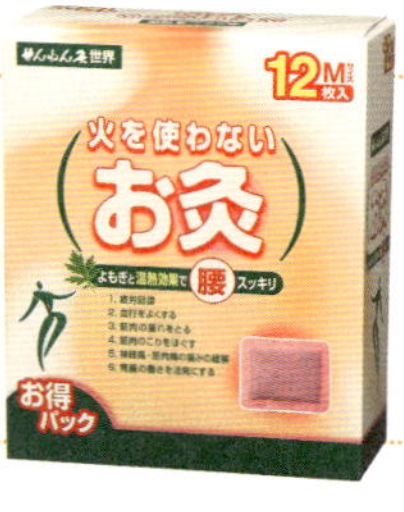

せんねん灸の火を使わないお灸

火を使わず外出先でも気軽に使えるお灸。よもぎ成分と温熱が、じわじわとツボに浸透。せんねん灸世界 12 枚入り ¥1900 ／セネファ

美しい生理

active phase

アクティブ期

蓮の花のポーズ

胸の前で蓮の花を咲かせるという一連の動きで、女性らしいほっこりと優しい気分に導き、生理周期の乱れの原因となる緊張やストレスを緩和してくれます。深い呼吸を感じながら、リラックスした気持ちで行いましょう。

1 あぐらをかいて合掌

あぐらをかいて、胸の前で合掌。

2 胸の中心から腕を上げる

息を吸いながら、弧を描くように両手を上に。背すじはしっかり伸ばす。

3 頭上で両手を合わせる

息を吐きながら、手首をクロスさせ、両手を合わせる。前側を向いている両方の親指をからめる。

zoom

4
手首をクロスさせたまま下ろす

息を吐きながら、ひじを曲げ、手を顔の前まで下ろす。親指が床の方にきている状態。

5
指先を下に向ける

ストンと指先を下ろし、親指は胸側に向ける。

6
手首を胸側に半回転

手首を胸側に半回転させ、指先を上に向ける。親指が外側にきている状態。

7
胸の前で花を咲かせる

胸の前で蓮の花が咲くようなイメージでゆっくりと指を開き、3呼吸。手を入れ替え、反対側も同様に行う。

美しい生理

detox phase

デトックス期

横になった くつろぎのポーズ

人はクッションなどを抱え込むと、心が落ち着いてくる習性があります。その習性を利用した横になったくつろぎのポーズには、からだをゆっくり休める効果はもちろん、生理痛がひどいときにも積極的にとってもらいたい体勢です。

ワンステップ

横たわり抱き枕を抱える

片脚、片手を抱き枕にのせ、抱え込む。からだが楽になるまで、脚の左右を入れ替えながら、ゆっくり腹式呼吸を続ける。

これでもOK!

抱き枕がない場合は、ふたつ折りにしたクッションや丸めた布団などで代用してみて。ブランケットをかけたり、お灸でからだを温めながら行うとより効果的。

月ヨガの“知”　生理があることの意味

生理は、生命をつなげるために欠かせないもの。「面倒くさい」など、負の感情を抱かないでください。横になったくつろぎのポーズをとりながら、毎月の生理に感謝しましょう。また、コットンやシルクの布ナプキンは、肌に優しくおすすめです。

moon yoga 11

妊娠力を高める

執着を手放し、パートナーとの愛を育めるからだにまずは感謝しましょう。妊娠と心の状態は密接に関係しています。期限を決めるなど、自らかけたプレッシャーで自分自身を責めないでください。

また、パートナーと見つめ合えていますか？　自分を認め、お互いを尊重し、リラックスした気持ちでいれば、自然と女性ホルモンの分泌も促されて妊娠しやすいからだに変化すると考えられます。ヨガでは骨盤底筋を鍛えるポーズで、からだを温めるとともに、ホルモンバランスを整えていきます。安定した子宮で、赤ちゃんを優しく包み込む準備をしましょう。

こんな悩みを持つ人に

- 妊娠しにくい
- 低体温

こんな効果もある

- 骨盤矯正
- 骨盤底筋を鍛える
- くびれができる
- ヒップアップ

warm-up

ウォーミングアップ

妊娠しやすいからだ作りのために、メンタルとフィジカルの両局面からアプローチします。不妊治療をやめた途端に自然妊娠したという話こそ、妊娠と精神の結びつきを証明している好例です。

執着を手放し、感謝する

“何歳までに出産しなければいけない”といった自分の中で決めたルールに囚われないで。そういった執着心がストレスを招き、妊娠しにくい心身の状態を作ってしまいます。健康な自分のからだに感謝し、毎月生理がくることに喜びを感じましょう。執着を手放すことが何より大切です。

1 四つん這いになる

四つん這いで手首をひねり、指先を脚側に向ける。ひざは腰の下にくるように。

2 からだを回転させる

手首を軸に、からだを時計回り、反時計周りに大きく動かす。

妊娠力を
高める

active phase
アクティブ
期

骨盤歩き

骨盤歩きには、骨盤底筋を鍛え、子宮の位置を安定させる効果があります。骨盤の歪み矯正にも最適。
また、水分や老廃物がたまりやすいお尻をマッサージし、むくみのないスッキリとしたウエストやヒップラインに導きます。

1
足の裏を合わせて座る

両足の裏を合わせ、手で足先を握る。骨盤は立てて背すじを伸ばす。

2
お尻を後ろにずらす

足先の位置は動かさず、左右にからだを揺らしながら、お尻で後ろ歩きをする。

3
お尻を前に戻す

左右にからだを揺らしながら、今度はお尻を前に戻していく。2に戻り、楽しみながらこれを3回繰り返す。

妊娠力を
高める

detox phase

デトックス
期

スローダウン

お尻を突き出すスローダウンのメリットのひとつには、深く呼吸することで起こる骨盤底筋の伸縮を意識しやすいことが挙げられます。さらに全身の力をぬいてからだをゆるめることができるので、精神の安定にもつながります。

1

四つん這いになる

床においたクッションを挟むように手を肩幅に開き、四つん這いになる。

2

胸をクッションに下ろす

息を吐きながら両手を滑らせ、胸をクッションに下ろす。あごはクッションのフチ、おでこは床に。このままの姿勢でゆっくりと3呼吸。

アレンジに挑戦

足の指を立てて行うと、さらにからだが弓型にしなり、よりお尻が上がる。

moon yoga 12

パートナーとの愛を深める

ふたりの愛情を深めるためには、まずはお互いに感謝の気持ちを持つことが大切です。見返りを期待せず、ただそこにいて、支えてくれる相手に〝ありがとう〟の気持ちを伝えましょう。深く信頼し合うことで、本当の意味でパートナーに心もからだもゆだねられるようになります。

不感症の人におすすめなのが、括約筋など膣周りの筋肉を鍛えるポーズ。続けることで、膣の収縮をコントロールできるようになり、男女ともに快感を得やすいからだに変化します。また、セックスにコンプレックスがある人もぜひ挑戦してください。

こんな悩みを持つ人に

- 不感症
- セックスレス

こんな効果もある

- 脚のむくみ改善
- 背骨の歪み矯正
- 骨盤底筋を鍛える

warm-up
ウォーミングアップ

愛情を深めるためには、言葉とボディタッチによるコミュニケーションが不可欠。お互いに相手の素晴らしさや優しさにふれ、愛情を再確認することができるはずです。

気持ちを伝える

自分の気持ちは言葉に出さないと相手に伝わらないものです。一緒に過ごしている間に感じた相手のよい点や素敵なところを、その場で伝えて愛情を深めましょう。それはセックスのシーンにおいても同じ。言葉に出すことを恥ずかしがらないでください。

パートナーとふれ合う

1 仙骨を温める

お尻の割れ目のはじまりあたりにある仙骨に、温めた手のひらをあて、5呼吸キープ。

2 仙骨に沿ってハートを描く

両手の親指を仙骨にあて、心を込めてゆっくりとハートを描くようにマッサージ。

3 からだを揺する

手のひらを仙骨にあて、相手のからだを“1/f のゆらぎ”のように優しく左右に揺する。

パートナーとの
愛を深める

active phase

アクティブ期

波のポーズ

膣の入り口付近にある括約筋を中心に、膣周りの骨盤底筋を鍛えます。これらの筋肉を鍛えることで、膣の収縮がコントロールできるように。エクスタシーが波のように押し寄せてはひいていくイメージで行いましょう。

1 ひざを立てて仰向けに寝る

ひざを立てた状態で仰向けに。足は骨盤の幅に開き、両手はからだに沿って伸ばす。あごをひいて、背骨や腰を大地にしっかり下ろすのがポイント。

2 からだを弓なりに持ち上げる

息を吸いながら、胸を開き、お尻に力を入れてからだを弓なりに持ち上げる。
息を吐きながら1に戻り、呼吸に合わせてこれを3回繰り返す。

月ヨガの“知” エネルギーの通り道

背骨をひとつずつ動かすイメージで、背中の上げ下ろしを行うのがポイントです。こうすることで、からだの中心を通る、第1チャクラから第5チャクラまでを刺激することができ、エネルギーの通り道が整えられます。

パートナーとの
愛を深める

detox phase
デトックス
期

寝転がった
ガッセキのポーズ

ホルモンバランスを整えると同時に、コンプレックスから自分を
解き放つためのポーズです。ゆっくり時間をかけて行い、
自分の中のネガティブな感情を追い出しましょう。
骨盤の歪み矯正や太もものひき締め効果もあります。

1 足裏を合わせて座る

抱き枕（折りたたんだクッションや枕でも可）をおき、その前に足の裏を合
わせて座る。

2 抱き枕に上体を倒す

息を吐きながら上体を後ろへ倒す。抱き枕に背骨を沿わせるようにして、腰を心地よく反らせるのがポイント。手は左右に自然に広げ、手のひらは上向きに。胸を広げ、無の状態になるまで呼吸を感じる。

月ヨガの“知”　深い呼吸で心を開く

骨盤と胸をしっかり開くようにしましょう。からだ全体で深い呼吸ができるようになり、副交感神経が優位に。心もからだも芯からゆるみます。自分の安心感がパートナーにも伝わり、お互いに心を開けるようになります。

column 2

インドへヨガ修行

ヨガの修行のために度々訪れているインド。そこで撮影した写真をピックアップし、
現地での様子をご紹介します。日本のような便利さはないけれど、
人々が温かくほっと癒されるこの国が私は大好き！

道場

早朝から夕方まで、毎日ヨガづけの日々です

道場の入り口にはられた黒板には、１日のスケジュールがびっしり。起床はなんと４時半！ 早朝の５時から瞑想がスタートします。

カマル先生のアシュタンガヨガのクラスでは、スコーピオンにチャレンジしました。新しい挑戦は楽しい！

私が通っていた『ヨガニケタン』の宿泊所から見えたガンジス川です。宿泊所はシンプルで、とても快適に過ごせます。

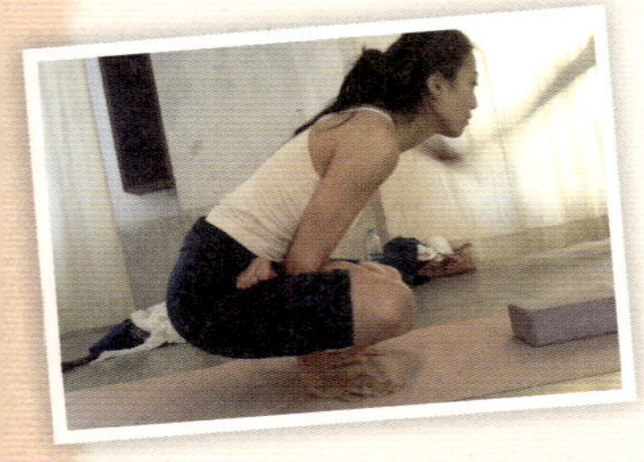

引き続きカマル先生のアシュタンガヨガのクラスの風景です。とてもハードなので、全身筋肉痛になってしまいました(笑)。

レッスンが行われる道場は、大体40名ほどが入る広さ！　瞑想ホールとヨガホールのふたつの建物があります。

出会い

純真な人が多いインドでは自然と心が癒されます

インドのおじいさまはとってもおちゃめ。日本人の私を見つけ、おじいさまから「一緒に撮らないか？」と声をかけてくれました。

何度も目が合ったので、話しかけて記念撮影をお願いしたところ「ビューティフル」といわれて突然頬にキス！　うれしい！

シヴァ神のお寺に連れていってくれたタクシーの運転手さん。お年を召した方でしたが、山道もするするぬける名ドライバー。

道場の周りは野生のサルがいっぱい。野生の牛が街を悠々と歩く姿も見かけます。サルと牛はインドでは神様として崇められる存在。

ガンジス川で出会った花売りの少女たち。インドではお花も神様のひとつと考えられ、川に流すことでデトックス作用があるそう。

食事

インドでの食事はやっぱりほとんどカレーです！

フレッシュなフルーツが食べたいと思って購入した果もの。巨大なグレープフルーツのような見た目ですが、水分は控えめ(笑)。

道場の近くにあるカフェでの朝食。この日のメニューはバナナパンケーキとトマトスープ。パンケーキは昔懐かしい素朴な味わいです。

お昼にいただいた、ほうれん草カレーとサラダ。グリーンサラダを頼むと盛りだくさんのキュウリとトマトを持ってきてくれます。

ある日の道場での晩ご飯。カレー風味の炒めものと、定番のキュウリとトマトのサラダ。どんな料理もカレー風味に味つけされています。

Chapter 3

月のリズムに合わせた美容術

満ちていく月のようにからだの吸収力が高まるアクティブ期と、欠けていく月のように排出機能や解毒力が高まるデトックス期。時期によってからだが必要としているものも変わります。食事、肌ケア、生活習慣など、それぞれのサイクルに合わせた日々の過ごし方でからだをいたわり、健康と美しさにより磨きをかけていきましょう。Chapter3 では、私が実践しているアクティブ期とデトックス期の過ごし方をご紹介します。

月の周期を利用すれば、より自分らしく生きられる

Tsuki no shuki wo riyousureba yori jibunrashiku ikirareru

Moon Beauty

月の満ち欠けは、私たちの体内リズムに大きな影響を与えています。ヨガだけでなく、ライフスタイルも月の満ち欠けに合わせるようになってから、肉体的にも精神的にも、さらに心地いい状態で毎日を過ごせるようになりました。

自分に無理を強いてがんばり過ぎたり、飾り立てることは避け、シンプルに生きることを大切に。食べるものや肌につけるもの、そして周りの環境など、五感を刺激するもの全て、本当に必要なものだけを選ぶようにしています。

また、月の周期に合わせてものごとを考えるようになってから、思考がとてもクリアになり、自然体の自分でいられるようになりました。執着せず、ほどよい距離間でバランスをとりながら、月のリズムを感じましょう。

島本麻衣子's Real Life

新月から新しい自分がはじまっていくイメージで、
月の満ち欠けに合わせた生活を送ります。私の生活サイクルをご紹介しますが、
"同じようにしなければいけない"と自分に無理を強いる必要はありません。
心地よさ、どんなときに何が合うのかを感じていきましょう。

phases of the moon

新月

月の引力が強くなる新月にはなりたい自分をイメージ。思いついた言葉や目標を７つほど紙に書き出します。新しいことに挑戦するのにもベストなタイミングです。

上弦の月

ものごとが軌道にのりはじめるとき。一度立ち止まり、新月に書いた言葉の見直しを。また、気持ちが高まるので、呼吸法で心を整えます。美術や映画、音楽鑑賞にも最適。

満月

努力が実を結び、ものごとが開花するとき。ゆっくりお風呂につかったり、キャンドルの明かりでリラックスタイムを過ごします。がんばった自分をいたわり感謝する日。

下弦の月

新しい自分を迎えるため、断食で体内の毒素を排出します。身の周りのものを片づけ、手放すのにも最適な時期。あえて人と会わない時間を作り、瞑想をして心をリセット。

自然の恵みを受けた新鮮なものを体内にとり込む

Shizen no megumi wo uketa shinsen na mono wo tainai ni torikomu

Moon Beauty

食材はできることなら無農薬で育てられたフレッシュなものを選ぶようにしましょう。私の場合、基本的には玄米や野菜、果もの、ナッツなど、旬のものや、すぐにエネルギーに変わるものをとるようにしています。

その上で、吸収力が高まるアクティブ期には、女性ホルモンの働きを高めるものを。排出力が高まるデトックス期には、刺激物は避け、体内の調整をしてくれるものを意識的に食べるようにしています。だからといって、ストイックになり過ぎるのは禁物。甘いものが食べたくなったら、素材にこだわったチョコレートやアイスを食べることも。食事は何より〝いただきます〟という感謝の気持ちで、楽しむことがいちばんです。

基本のFOOD

私が定番でいただいている食品をご紹介します。できるだけオーガニックのものをセレクト。
また旬の野菜や、その土地のものを積極的にとり、パワーをもらっています。

季節の野菜とフルーツ

旬のものには、その時期にからだが必要としている栄養素が含まれています。サラダで食べたり、寒い季節はお鍋や煮ものにも。

玄米

玄米に変えてもう5年。お通じがよくなりました。秋田県大潟村 有機米 あきたこまち 2kg ￥1770／クレヨンハウス 野菜市場

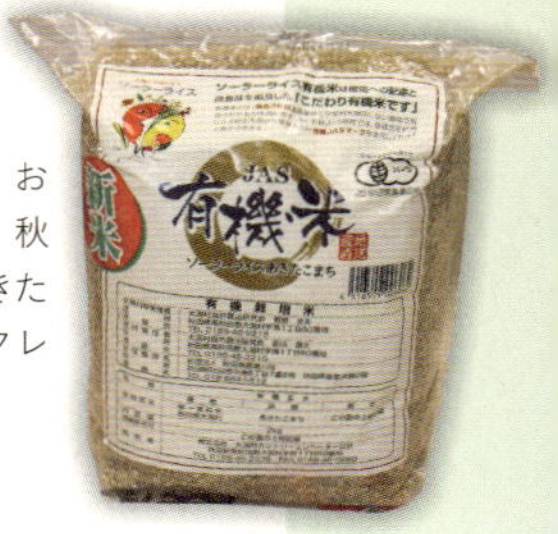

ごま

栄養価の高いごまは、色々な形状を常備。何にでもかけます！(左から)玉絞め一番搾りごま油 180g ￥650／油茂製油、ハイトローセサミペースト タヒニ 300g ￥698／カルディコーヒーファーム、鹿北 国産洗いごま(黒) 50g ￥367／GAIAネット

ナッツ類

良質な油分とタンパク質がとれるナッツ類。非加熱のものがベター。(左から)オーサワジャパン 松の実(生) 30g ￥353、ノヴァ 有機栽培ナッツ マカダミアナッツ 80g ￥798、アリサン 生くるみ100g ￥556、アリサン　生アーモンド 100g ￥698／全てGAIAネット

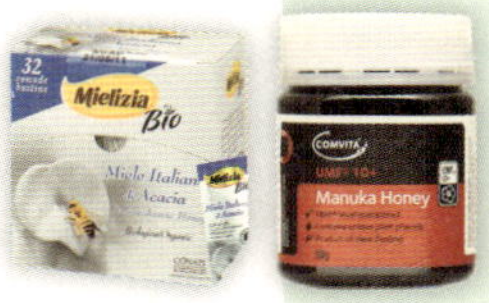

はちみつ

料理などで甘さが欲しいときははちみつを使用。持ち歩いて、栄養ドリンク代わりに飲むことも。(左から)ミエリツィア アカシアの有機ハチミツ ブスティーネ 6g×32 ￥1102／日仏貿易、コンビタ マヌカハニー UMF10＋ 250g ￥3990／リマの通販

のり

そのままパリパリいただくほどの大好物。サラダのトッピングにも。兵庫明石浦の寿司海苔 10枚入り ￥525／ナチュラルハウス

クコの実

水に浸してから食べると、プルプルになっておいしさ倍増。ママズキッチン クコの実 70g ￥220／カルディコーヒーファーム

粉末野菜ジュース

13種類の野菜や果ものが一度にとれておいしさも抜群。小分けで持ち運びも便利。やずやのおいしく飲むサラダ 5.5g×31本 ￥6615／やずや

フルーツバー

フルーツを煮くずしてエキスを固めたジャムのようなもの。小腹がすいたときに。海外のオーガニックスーパーで購入。／本人私物

アクティブ期のFOOD

からだの吸収がよくなるアクティブ期には、女性ホルモンの働きを高める食品を積極的に摂取。
また、満月に迎える生理に向けて、血液の循環も整えていきます。

ザクロ

天然植物性エストロゲンが含まれているザクロ。更年期障害の予防のほか、髪や肌へのアンチエイジング効果も期待されています。

ビーツ

“飲む血液”と呼ばれているビーツは、女性に必要なビタミンが豊富に含まれています。刻んでスープに入れるほか、サラダにも。

ファラフェル

ひよこ豆のペーストをコロッケにしたものを、野菜と一緒にピタパンでいただく中東料理。ひよこ豆にはビタミンなどが豊富に含まれています。

サフラン

アーユルヴェーダでは婦人科系の薬としても用いられています。
VOXSPICE サフラン 0.2g ￥567／ヴォークス・トレーディング

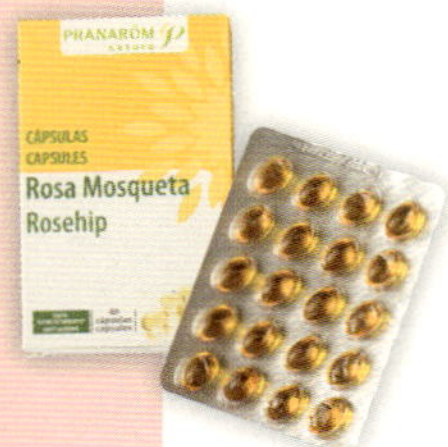

ローズヒップサプリ

からだの内側からお肌を美しくしてくれる植物油のカプセル。プラナロム ローズヒップ・カプセル 40粒 ￥3570／健草医学舎

ローチョコレート

普通のチョコレートに比べ、血糖値の急上昇が抑えられます。トニックシーン ワイルドチェリーローチョコ28g ￥420／GAIAネット

花椒《はあじゃお》ソース

スパイスの効いた花椒を使ったソース。生野菜や炊きたてのごはんにかけたり、炒めものにも最適。
花椒￥1575／FLOW TOKYO

デトックス期のFOOD

毒素の排出効果が高まるデトックス期には、内臓をきれいにしてくれるものや、からだの機能を調節してくれる食品をとり入れるように。刺激物は避けるのもポイントです。

ぬか漬け

乳酸菌パワーでお腹の中をきれいにしてくれるぬか漬けは、デトックス期にぴったりの食品。ぬかを洗い落とさず食べることも。

フリーズドライフルーツ

フルーツのおいしさと酵素や栄養をそのまま閉じ込めた、砂糖不使用でヘルシーなドライフルーツ。800や ShinQs店 ☎03-6434-1815

豆乳

豆乳には良質なタンパク質が含まれています。プロヴァメル オーガニック バニラ豆乳 250ml ￥231／通販ショップmonoria

シリアル

忙しい朝はペットボトルの水の中に入れ、手軽に栄養補給。アララ デラックスミューズリー 800g ￥840／カルディコーヒーファーム

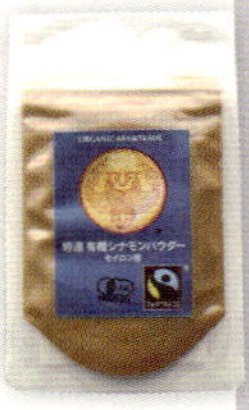

シナモンパウダー

血行を促進し排出力を高めてくれます。ミトラスパイス 特選 有機シナモンパウダー セイロン産 20g ￥347／リタトレーディング

ジェラート

どうしてもアイスが食べたくなったら、オーガニック認定を受けているこちらのジェラートをチョイス。ジルド・ラケーリのオーガニックジェラート（左から）ブルボンバニラ、マンダリンオレンジソルベ 各125ml ￥380／ネットショップ　ビオクル

ドライフルーツ

朝ごはんのヨーグルトのトッピングや、小腹がすいたときのおやつとして、いつも欠かさないのがドライフルーツ。セミドライタイプがお気に入り。ジーベーガー ドライフルーツ（左から）ソフトフィッグ 200g ￥750、ソフトプルーン 200g ￥570／鈴商

アサイーサプリ

抗酸化作用が高いアサイーをカプセルで手軽に。アサイー100 90粒 ￥4800／アピオス(studio Shanti by Kyoko Hiraga)

アクティブ期

FACE&BODY CARE

外側からのアプローチで、肌に潤いを与え、美しさに磨きを

新しいサイクルに入り、からだも心も徐々に高揚していく時期。吸収力が高まるアクティブ期には、外側からしっかり潤いを与えることを心がけて。保湿パックや美白ケアなど、スペシャルケアも効果が出やすくなります。同時にお肌が敏感になる時期でもあるので、刺激を避け、こまめに水分補給することを忘れずに。お肌の油分と水分バランスがくずれたときのために、ミストタイプの化粧水を持ち歩くのもおすすめです。

また満月が近くなると骨盤周りの筋肉がゆるんでくるので、子宮やバストのマッサージでからだをほぐし、バランスをとるようにします。ストレスが緩和され、高ぶる気持ちをほどよく落ち着かせる効果もあります。

温め潤す

active phase
アクティブ期
Face

吸収力が高まるこの時期は、“肌に与える”ケアを中心に行っていきます。心の中で“しっかり潤え”と願いながらケアをすると、浸透力がよりアップします。

1 化粧水を温める

両手を軽く擦り合わせて温めた後、手のひらに化粧水をたっぷりととる。化粧水も手のひらの体温で温める。

2 化粧水を浸透させる

おでこは内から外、鼻は下から上、目元からこめかみへと細かい部分にも手のひらを押しあて化粧水を浸透。

3 パックをしながら瞑想

化粧水が浸透したら、シートマスクをのせる。からだが楽な姿勢をとり、パック時間は瞑想にあてる。

手作りもしてます

「材料をネットなどで購入し、コスメを手作りしています。用途や気分によって精油を変えて楽しんでいます」。

Maico's Face select

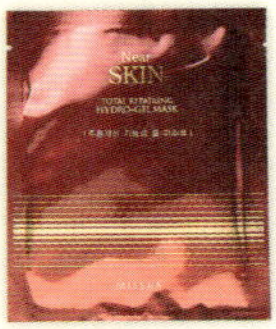

ミシャのゲルマスク

ゼリーのようなぷるぷるの素材がお肌に吸着。ミシャ ニアビューティ トータルゲルマスク 28g x 1枚 ¥500／ミシャジャパン

Dr. ハウシュカのローション&クリーム

ミストタイプで外出先でも便利なローションとアルコールフリーのお肌に優しいクリーム。（左から）クラリファイング フェイスコンディショナー 100ml ¥4725、ローズデイクリーム 30ml ¥4200／グッドホープ総研

アベンヌのローション&クリーム

肌なじみがよく、使いやすさ抜群！敏感肌にも安心。（左から）スキンバランスローション SS 300ml ¥3675（編集部調べ）、ディープモイスト クリーム D（R）39g ¥4200（編集部調べ）／ピエール ファーブル ジャポン

active phase
アクティブ期
Body

からだをゆるめ女性性を高める

月が満ちていくアクティブ期は、自然界にも人間のからだにも、ゆるむ力が働きます。子宮とバストのマッサージで女性性を高めながら、からだをリラックスさせます。

1 子宮をゆるめる

1 体側を伸ばす

腰の下にクッションを敷き、両腕を伸ばし仰向けに。一度深呼吸し、手で弧を描くように大きく腕を下ろす。

2 まぶたを包む

手のひらをふわっと丸め、まぶたには直接ふれないように、両目を温める。ひざを立て、リラックスしながら行う。

3 腰下をひねる

軽く腕を広げ、両手を床につける。両ひざを左右に交互に倒し、腰から下を動かして、からだをひねる。

4 子宮を温める

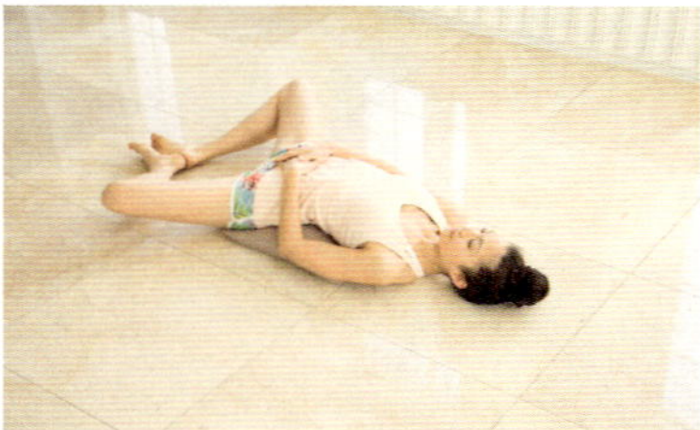

両足の裏を合わせてガッセキのポーズ。両手は子宮の上におく。その状態を数分キープし、子宮を温める。

2 バストをゆるめる

1 伸びをする

背すじを伸ばして立つ。組んだ手を真っ直ぐ上に伸ばし、深呼吸。肩や腕、胸の筋肉をほぐしていく。

2 腕をねじる

両手を床と平行に広げ、呼吸に合わせて逆方向に根元から3回ねじる。手の甲が交互に正面を向くように。

3 リンパ節をもむ

わきの下のリンパ節を優しくマッサージ。こりをとり除き、たまった血液やリンパ液をしっかり流す。

4 バストを揺らす

手をクロスさせバストを下から持ち上げ、ふわふわでやわらかい手ざわりになるよう、細かく上下に揺らす。

Maico's Body select

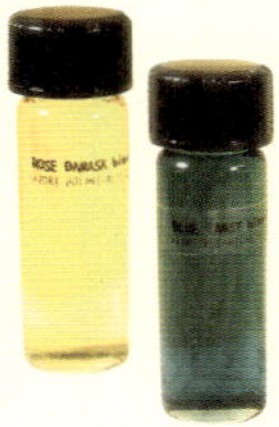

さとり・ボタニカルズのオイル

スイートアーモンドオイルをキャリアにしたブレンドオイル。100%天然成分です。バストのマッサージに。（左から）ダマスクローズブレンド 4ml ¥1500、ブルータンジーブレンド 4ml ¥900／さとり・ボタニカルズ・エルエルシー

フェミノールのオイル

デリケートゾーンの洗浄に適したオイルローション。子宮（下腹部）マッサージ、全身マッサージオイルとしてもおすすめです（外部のみにお使いください）。フェミノール 100ml ¥2940／アヴァガーデンコーポレーション

active phase
アクティブ期
Bath

パーツケアで緊張をほぐす

外見の美を磨くのに最適なアクティブ期は、普段おこたりがちなパーツのケアに絶好のタイミング。湯船につかりながら、からだの隅々まで磨きをかけましょう。

1 歯茎をほぐす

1 指であごを掴む

コの字に曲げた人差し指と親指であごを掴む。

2 下から上にマッサージ

耳下に向かって、フェイスラインをマッサージ。

3 肌の上から歯茎を刺激

指を上下の歯茎部分にあて、中心に向かって刺激。

4 口の中から歯茎を刺激

口の中に指か歯ブラシの柄を入れ、歯茎を優しく刺激。

5 優しく舌苔をとる

舌専用のクリーナーで舌苔を丁寧にとり除く。

2 足を指先までほぐす

1 ふくらはぎを押す

ふくらはぎを上から下へ流すように親指で押していく。

2 足の指をつまむ

足の指を1本ずつつまみ、手をひきぬいて足指をマッサージ。

3 くるぶしのツボを刺激

コの字に曲げた親指の第一関節で、くるぶしの下にあるツボを刺激。

Maico's Bath select

クナイプのバスソルト

オレンジの精油入りで保温効果抜群。クナイプ バスソルト オレンジ・リンデンバウム<菩提樹>の香り 500g ¥1554 ／クナイプジャパン

タジマヤの入浴剤

やわらかな森の香りで、からだを芯からリラックスに導きます。森の生活（無色透明の湯）25g×6包 ¥945 ／ナチュラルハウス

シャボン玉石けんのせっけんハミガキ

毎日口の中に入れるものだから、余分なものが入っていないものを。シャボン玉 せっけんハミガキ 140g ¥399 ／シャボン玉石けん

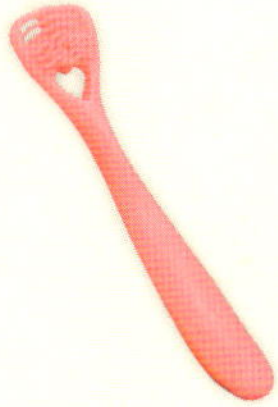

Ciメディカルの舌クリーナー

口臭予防のために舌苔をとり除くことも忘れずに。週に2～3回程度でOK。ゼクリン MORE ¥450 ／デンタルフィット

デトックス期

FACE&BODY CARE

体内の不要なものを全て排出し、内臓も精神もすっきりきれいに

欠けていく月のように、排出力や解毒力がアップするのがデトックス期。からだも心も余計なものを手放して、リセットするのに最適なタイミングです。デトックス期に入ると、高揚していた気分も落ち着くので、リラックスした気持ちで今の自分を見つめ直しましょう。

お肌も安定するようになるので、古い角質を落としたり、毛穴の汚れを除去し、積極的に老廃物の排出を。またデトックス機能をより高めるため、からだを温めたり、自然素材からできたコスメで、内臓にたまった余計なものを出しきりましょう。天然の塩や入浴剤を入れたお湯で半身浴をし、たくさんの汗を出すのもおすすめです。

detox phase

デトックス期

Face

毛穴の奥の汚れをとり除く

排出機能が高まっているデトックス期は、毛穴のお掃除に最適。ここでご紹介する3種類の毛穴のケアは、同時に行うのではなく、お肌の状態に合うものをその都度とり入れるようにして。

毛穴ケア3

化粧水でふきとる

ふきとり化粧水をコットンにとり、おでこ、鼻、頬、あご、首、耳の裏側の順番で優しく汚れをふきとる。

毛穴ケア2

泥で毛穴ケア

泥パックで毛穴の奥の汚れをとり除く。泥には汚れを除去するだけでなく、毛穴をひき締める効果も。

毛穴ケア1

茶カテキン洗顔

泡立てた洗顔フォームにお茶の粉末をふたつまみ加えて洗顔。洗浄力がアップして、透明感のある肌に。

Maico's Face select

資生堂のふきとり化粧水

クレンジングの後に手軽に角質除去ができます。リーズナブルな価格も魅力です。オイデルミン（N）200ml ¥525／資生堂

琉球文化化粧品のくちゃパック

超微粒子のクレイ成分が角質と毛穴の奥の汚れをすっきりとり除いてくれます。お手軽 沖縄くちゃパック 8g×10包 ¥525／アルデナイデ

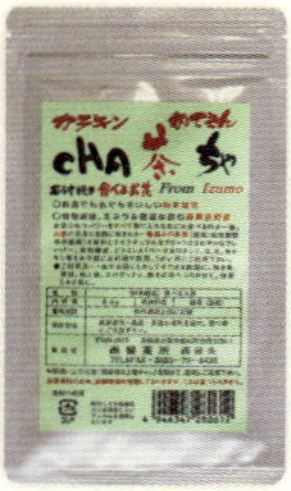

西製茶所の粉末茶

煎茶を石うすで挽いただけのシンプルな製品。お茶のいい香りが広がります。出雲国 石うす挽き 食べるお茶 50g ¥525／西製茶所

アンネマリー・ボーリンドのクレンジングミルク

ココナッツの洗浄成分で、肌の汚れが優しく落とせます。ZZ クレンジングミルク 150ml ¥5600／ピリカインターナショナルジャパン

detox phase
デトックス期
Body

芯から温め
老廃物を流す

ひどいむくみやからだの不調を抱えている人は、この期間に頑固な毒素を追い出すように心がけて。リンパや血液の流れをスムーズにさせるため、からだを芯から温めるようにします。

1 ごま油でマッサージする

1 ごま油を手で温める

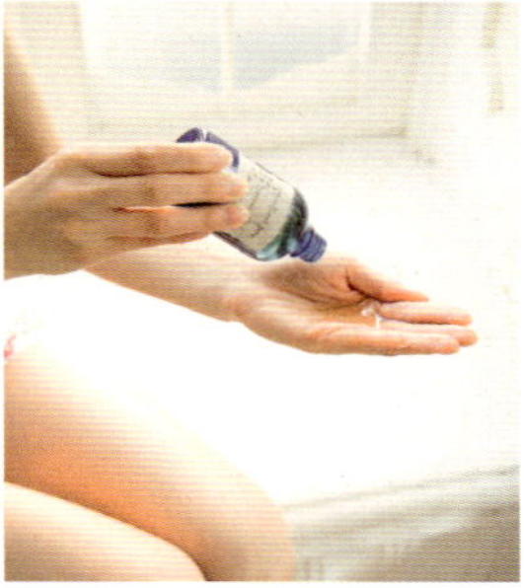

ごま油をたっぷりととり、両手を擦り合わせて温める。

2 頭皮をもみほぐす

指を髪の中に入れ、頭頂部に向かって頭皮をほぐす。

3 耳をマッサージ

耳をひっぱったり、回したり、さすってマッサージする。

4 腕をマッサージ

二の腕から手首に向かって、手を滑らせるようにもむ。

5 足をもみほぐす

足首から甲、指先やかかとまで両手で丁寧にもみほぐす。

2 お灸でツボを刺激する

3 合谷《ごうこく》を温める

親指と人差し指の骨が交わるくぼみにあるのが“合谷”。万能のツボといわれ、頭痛やストレスの緩和に。

2 水泉《すいせん》と湧泉《ゆうせん》を温める

かかとのすぐ上にある“水泉”は、冷え症の改善に。足裏のくぼみにある“湧泉”は婦人科疾患に効果的。

1 三陰交《さんいんこう》を温める

内側のくるぶしから指３本上のところにある“三陰交”は、むくみ、冷えの緩和のほか、生理痛の改善も。

ハマってます！

「インドで買ったVEDIC WONDERのオイルは、血行促進に。何十種類もの薬草、ハーブが入っているそう」。

Maico's Body select

せんねん灸の火を使わないお灸

火を使わないお灸なので、不安定な場所でも安心してすえられます。お灸初心者にも。せんねん灸太陽 6個 ¥550／セネファ

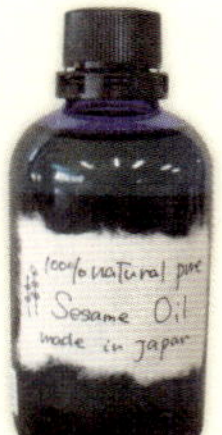

鹿北製油の白ごま油

アーユルヴェーダでも使われるごま油でのマッサージは毒素排出に効果的。生搾り 国産 白ごま油 100g ¥4000／鹿北製油

detox phase
デトックス期
Bath

角質を落とし、半身浴で汗を出す

新陳代謝が活発になっているこの時期のバスタイムは
絶好のデトックス時間。再びやってくる新月に向けてからだを
ニュートラルな状態へと戻してあげることが大切です。

1 角質を落とす

角質ケア 1

天然塩でスクラブ

天然塩にお気に入りのアロマオイルを垂らし、角質がかたくなっているところをマッサージ。そのまま湯船につかってもOK。ケガをしている人やアトピー、敏感肌の人は避けて。

角質ケア 2

泥パックで角質をオフ

角質が気になるところに泥パックをぬってそのまま放置。泥が乾燥しはじめ、肌がつっぱる感じがしたら、お湯で泥を流します。泥がついた状態のまま、湯船につかっても大丈夫。

2 半身浴で汗を出す

天然石でツボを刺激

半身浴をしながら、ローズクォーツなどの天然石で、肩や頭頂部などのこりが気になる場所を刺激します。天然石を使うと、ツボがしっかり刺激されると同時に、パワーをもらうこともできます。

Maico's Bath select

アルジタルのシャンプー&コンディショナー

頭皮の汚れがしっかり落とせる海泥からできたシャンプー&コンディショナー。（左から）スキャルプシャンプー 250ml ¥2415、ヴェジタルヘアコンディショナー 200ml ¥2,835 ／石澤研究所

ケンソーのバスオイル

お湯と混ざると乳化するオイルは、お気に入りの精油を足して使っています。ケンソーバスオイル 200ml ¥2730 ／健草医学舎

ゲランドの塩

粒子が細かく、気になる角質をソフトに除去してくれます。セル ファン（細粒 海塩）500g ¥480 ／カルディコーヒーファーム

フランシラのパック&入浴剤

泥の中にミネラルが凝縮。パックにも入浴剤にも使えます。フランシラ ピート トリートメント 500ml ¥9975 ／フランシラ&フランツ

column 3

太陽星座別おすすめアロマ

未来の姿を映し出す太陽星座。自分の星座の特徴に合ったアロマをとり入れ、人生を今よりも充実した方向へと導きましょう。私は『プラナロム』というブランドの精油を愛用。種類豊富な上、純度が高くておすすめです。

♋ 蟹座（6／22－7／22）

香り	クラリーセージ
司る部分	胃・子宮・胸腺
特徴	周りの状況にとても敏感で、母性に優れた蟹座には、子宮の収縮を活発にさせる効果のあるクラリーセージがおすすめ。妊娠の可能性がある人は刺激が強いので避けた方がベター。

♌ 獅子座（7／23－8／22）

香り	サンダルウッド
司る部分	背骨・背中・心臓
特徴	リーダー気質がある獅子座は、一歩間違えると自己中心的な人と勘違いされがち。そんな獅子座には、副交感神経を優位にして気持ちの高ぶりを抑えるサンダルウッドがおすすめ。

♍ 乙女座（8／23－9／22）

香り	ラベンダー
司る部分	腸・神経系
特徴	情報分析が得意で、細かい作業も難なくこなす乙女座。完璧主義者になりがちなため、リラックス効果の高いラベンダーを鼻から直接嗅いで、香りを腸にまで届けて。

♈ 牡羊座（3／21－4／19）

香り	パイン（松）
司る部分	頭、神経系
特徴	赤ちゃんのように思ったことをすぐ行動に移す牡羊座。頭をすっきりさせてくれるパインで、気持ちをリフレッシュさせ、一旦リラックスを。頭のマッサージに使うと効果的。

♉ 牡牛座（4／20－5／20）

香り	ローズ
司る部分	のど・甲状腺
特徴	感情を五感でキャッチする能力に優れた牡牛座は、華やかなローズの香りがぴったり。のどを伸ばしながら、マッサージするようにオイルをまとえば、女性らしさもアップします。

♊ 双子座（5／21－6／21）

香り	マジョラム
司る部分	肺・腕・肩
特徴	好奇心旺盛な双子座は、落ち着きがないようにも見えてしまうことも。清涼感あるマジョラムの香りを胸や腕にぬることで、集中力がアップ。血行促進や筋肉痛緩和にも効果的。

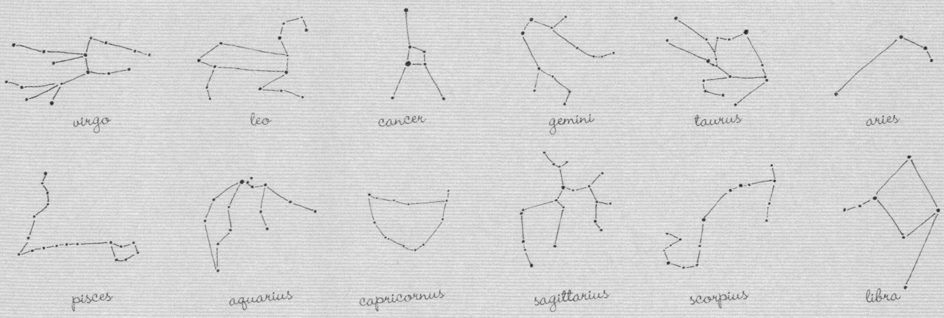

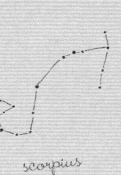

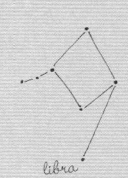

♑山羊座（12／22－1／19）

香り	タイム
司る部分	ひざ・関節・骨
特徴	伝統を重んじ、ものごとを真面目に考える山羊座は、頑固過ぎる印象を与えることも。不安をとり除く効果のあるタイムの香りをひざや関節にぬり、勇気と行動力を身につけて。

♒水瓶座（1／20－2／18）

香り	ヒソップ
司る部分	ふくらはぎ・循環器
特徴	わけ隔てなく色々な人と広い交流を持つのが得意な水瓶座。人と違うことをよしとする性格なので、心配、不安を和らげるヒソップの香りをまとい、自分の道を突き進んで。

♓魚座（2／19－3／20）

香り	サイプレス
司る部分	足裏・全身
特徴	12星座全ての特徴を持つ魚座は、誰の意見にでも同調ができる世渡り上手。本来の姿を見失いがちなので、森林浴気分が味わえるサイプレスの香りで自分をとり戻すことが大事。

♎天秤座（9／23－10／23）

香り	パルマローザ
司る部分	腰・背骨・腎臓
特徴	美意識が高く気品が漂う天秤座は、肌の再生能力があるパルマローザをとり入れて。優柔不断な一面もあるので、重要な決断のときに香りをまとえば気持ちを落ち着かせる効果も。

♏蠍座（10／24－11／22）

香り	ジャスミン
司る部分	子宮・お尻・ももの内側
特徴	集中力があり愛情深い性格なのだけれど、度を超すと執着心の塊になる可能性を秘めた蠍座。ジャスミンの華やかな香りで気持ちを高め、心が内に向くのを防いで。

♐射手座（11／23－12／21）

香り	メリッサ
司る部分	お尻・太もも・肝臓
特徴	冒険心が強く行動的な性格のため、ときにはデリカシーがない人と思われがち。気持ちを安定させながらも、華やかな気分をキープできるメリッサの香りを身にまとって。

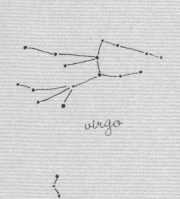

Conclusion

月のパワーで なりたい 自分へと導いて

月のパワーを利用したヨガと美容術はいかがでしたか?ヨガのポーズはよりわかりやすいものを。美容術もすぐに生活にとり入れられるものを厳選しました。

本書が発売される2年ほど前の私を振り返ると、今と全く状況が異なっていました。当時の私はまだモデルの仕事に執着していて、内側はマイナスの感情でいっぱい。そんな私が一年半という短期間で、大好きなヨガを仕事にし、書籍を出版する幸運に恵まれたのも、周りの人々の支えと月ヨガの存在があってこそ。

私に月の周期とからだの変化が対応しているというヒントをくれたのは祖母です。祖母は昔から「月日記」をつけていて、毎日の月の変化を記録していました。そんな祖母の影響を幼いころから受けていた私は、月の満ち欠けの周期と女性の生理周期との関係が結びつき、月ヨガができたのも自然の流れに感じます。

吸収力が高まる期間には、からだをアクティブに動かして鍛えるポーズをとる。排出力が高まる期間は、からだをゆるめるポーズをとる。シンプルなことですが、自然の摂理に従っているので、効果は絶大です。そしてヨガのポーズと同じく重要なのは、月の周期に合わせて生活をすること。それは決して新しいことではなく、太古

の昔から私たちの先人が行ってきたことであり、私たちの根底にあることなのかもしれません。月とヨガのリズムで自然の流れを感じ、あなたを信じて続けていれば、きっとなりたい自分へと変わることができるはずです。

本書があなたの心とからだの癒しになりますように。

Conclusion

2013年3月
島本麻衣子

Studio紹介

私が定期的にレッスンを行っているスタジオをご紹介します。
また「ヨガの宅配便」という出張レッスンも行っています。
詳細は月ヨガのHP（http://www.tsukiyoga.com/）をご覧ください。

Studio 1 FLOW TOKYO

火曜は10時、15時、19時の３回、日曜に17時からと、週４回こちらのスタジオでレッスンを行っています。東京都渋谷区上原3-27-5 ☎03-5790-9017
http://www.flowtokyo.com/

Studio 2 HOT STUDIO ALL5

ホットな環境でアクティブ期とデトックス期の２種類のスクリーンレッスン。
東京都中央区銀座5-4-7 銀座サワモトビルB2F ☎03-6280-6295
http://www.hotstudio-all5.com

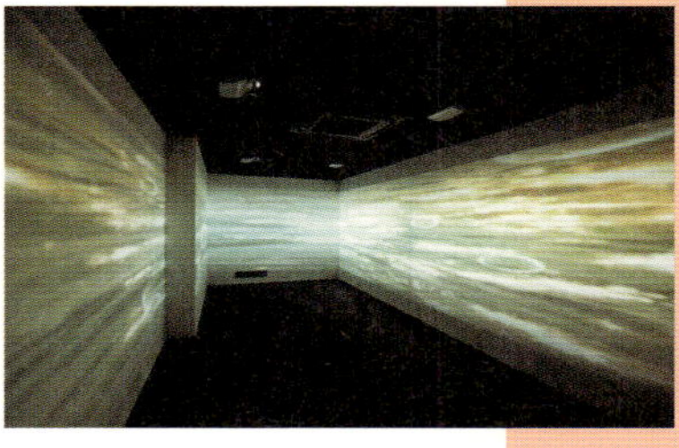

Studio 3 自由が丘ヨガスタジオ

月のリズムに合わせたゆったりとしたヨガを、日曜日の12時45分から行っています。天井高４mで開放的。東京都目黒区自由が丘1-3-22 ☎03-3718-4540
http://www.jiyugaokayoga.jp

Studio 4 Studio+Lotus8

不定期に月ヨガのワークショップを行っています。次回の日程はスタジオにご確認を。東京都中央区東日本橋3-3-17 Re-Know 1F ☎03-6825-6888
http://www.lotus8.co.jp/

月の満ち欠け表

2016年		2017年		2018年	
新月○	満月●	新月○	満月●	新月○	満月●
1/10	1/24		1/12		1/2
2/8	2/23	1/28	2/11	1/17	1/31
3/9	3/23	2/26	3/12	2/16	3/2
4/7	4/22	3/28	4/11	3/17	3/31
5/7	5/22	4/26	5/11	4/16	4/30
6/5	6/20	5/26	6/9	5/15	5/29
7/4	7/20	6/24	7/9	6/14	6/28
8/3	8/18	7/23	8/8	7/13	7/28
9/1	9/17	8/22	9/6	8/11	8/26
10/1	10/16	9/20	10/6	9/10	9/25
10/31	11/14	10/20	11/4	10/9	10/25
11/29	12/14	11/18	12/4	11/8	11/23
12/29		12/18		12/7	12/23

2013年～2018年

新月から満月までがアクティブ期、満月から新月までがデトックス期です。

2013年		2014年		2015年	
新月○	満月●	新月○	満月●	新月○	満月●
1/12	1/27	1/1	1/16		1/5
2/10	2/26	1/31	2/15	1/20	2/4
3/12	3/27	3/1	3/17	2/19	3/6
4/10	4/26	3/31	4/15	3/20	4/4
5/10	5/25	4/29	5/15	4/19	5/4
6/9	6/23	5/29	6/13	5/18	6/3
7/8	7/23	6/27	7/12	6/16	7/2
8/7	8/21	7/27	8/11	7/16	7/31
9/5	9/19	8/25	9/9	8/14	8/30
10/5	10/19	9/24	10/8	9/13	9/28
11/3	11/18	10/24	11/7	10/13	10/27
12/3	12/17	11/22	12/6	11/12	11/26
		12/22		12/11	12/25

Shop List

アヴァガーデンコーポレーション　045-590-5466
油茂製油　0478-54-3438
アルデナイデ　06-6133-5411
石澤研究所　0120-49-1430
ヴォークス・トレーディング　03-3555-5502
GAIA ネット　0463-97-3761
鹿北製油　0995-74-1755
カルディコーヒーファーム（お客様相談室）　0120-415-023
グッドホープ総研　03-5740-6431
クナイプお客様相談室　045-433-9477
クレヨンハウス　野菜市場　03-3406-6477
健草医学舎　03-3558-1444
さとり・ボタニカルズ・エルエルシー　http://satoribotanicals.com/
資生堂お問い合わせ先　0120-30-4710
シャボン玉石けん　0120-4800-95
鈴商　03-3225-1161
studio Shanti by Kyoko Hiraga　http://www.studio-shanti.com
セネファ　0120-78-1009
通販ショップ monoria　http://www.monoria.com
デンタルフィット　076-218-7878
ナチュラルハウス　0120-03-1070
西製茶所　0853-72-6433
日仏貿易　0120-003-092
ネットショップ　ビオクル　http://biocle.jp/
ピエール ファーブル ジャポン（お客様窓口）　0120-171-760
ピリカインターナショナルジャパン　0120-080-448
ピンポイント 0463-26-6671
フランシラ＆フランツ　03-3444-8743
FLOW TOKYO　03-5790-9017
ミシャジャパン　0120-348-154
やずや　0120-377-377
リタトレーディング　045-336-3567
リマの通販　0120-328-515

Staff

撮影　内山めぐみ（CRACKER STUDIO）
スタイリスト　Lim Lean Lee
ヘアメイク　中山夏子

デザイン　松枝太一　加藤みなみ（スタイルグラフィックス）
イラスト　加藤みなみ（スタイルグラフィックス）
構成　水浦裕美

撮影協力　Lily（リリー）　平賀恭子
企画　竹内てつや（オー・エンタープライズ）

校正　玄冬書林
編集　中島元子（ワニブックス）

衣装協力
イージーヨガストア 代官山
03-6427-0511
http://www.easyogashop.jp

美・月ヨガ

著者　島本麻衣子

2013 年 4 月 10 日　初版発行

発行者　横内正昭
編集人　青柳有紀
発行所　株式会社ワニブックス
〒 150-8482　東京都渋谷区恵比寿 4-4-9 えびす大黒ビル
電話　03-5449-2711（代表）
03-5449-2716（編集部）
印刷所　株式会社 美松堂
製本所　ナショナル製本

ワニブックス HP　http://www.wani.co.jp/

ISBN978-4-8470-9137-7

※本書に掲載されている情報は 2013 年 3 月時点のものです。
掲載されている情報は変更になる場合もございます。
効果や効能には個人差がありますので、予めご了承ください。
妊娠中や妊娠の可能性のある方、持病をお持ちの方は、
医師にご相談の上で行ってください。